1800 225 FHA

Enciclopedia de las provincias del Ecuador

CIENTIFICA LATINA EDITORES, CIA. LTDA.

Quito - Ecuador

1983

Colaboraron en esta obra

Dr. Jorge Núñez Sánchez

Abogado e historiador. Ex-investigador asociado del Instituto Nacional de Antropología e Historia (INAH) de México. Profesor de la Escuela de Post-grado en Planificación de la Universidad Central del Ecuador. Redactor de la Revista NUEVA. Actual Secretario Ejecutivo de la Asociación de Historia-dores Latinoamericanos y del Caribe (ADHILAC).
Obras: "América Latina: Integración o Balcanización". "El Mito de la Independencia". "Estados Unidos contra América Latina".

Sra. Luisa Rodríguez Villouta

Periodista profesional, egresada de la Escuela de Ciencias de la Información de la Universidad Central del Ecuador. Ha realizado estudios de Filosofía y Antropología Cultural en la Universidad de Chile. Ha colaborado en varias publicaciones nacionales y actualmente es redactora de la Revista NUEVA y editora especial de la Revista Nueva Mujer.

CIENTIFICA LATINA EDITORES CIA. LTDA.

Presidente:	*D. Francisco E. Romero Romero*
Gerente general:	*D. Manuel Efrain Romero Palacio*
Asistente licenciado:	*D. C. Augusto Egas Terán*
Asesor legal:	*D. Guillermo Saudchamez*
Subgerente general:	*D. Eduardo Palacio Samaniego*
Director editorial:	*Gral. Fernando Dobronski Ojeda*
Subdirector editorial:	*D. Agustín Romero Romero*
Revisión de textos:	*D. Eduardo Espinosa Cornejo*
Archivo:	*D. Guillermo Seli Romero*
Fotografía:	*D. Hugo A. Rengifo Suárez*
Dirección técnica:	*D. Antonio Prieto*
Diagramación:	*D. Jesús Pérez Merchán*

© CIENTIFICA LATINA EDITORES CIA. LTDA.
CASA MATRIZ: Quito, Avda. América, 4.405.
y Hernández de Girón - Teléfono: 247-395.
Sucursales: Guayaquil y Cuenca.
Impreso y encuadernado en España por NOVOGRAPH, S. A.
Carretera de Irún, Km. 12,450. Fuencarral (Madrid).
ISBN: 84-499-6124-6.
Depósito legal: M-3814-1983.

Prólogo

Científica Latina Editores Cía. Ltda., responsable de su misión histórica, y robustecida por el éxito alcanzado con su primera obra: MANUAL DE INFORMACION CULTURAL, EDUCATIVA, TURISTICA, INDUSTRIAL, COMERCIAL, AGRICOLA Y GANADERA DE LA REPUBLICA DEL ECUADOR, nuevamente ha emprendido en un superlativo esfuerzo editorial, y ofrece esta vez, la serie: ENCICLOPEDIA DE LAS PROVINCIAS DEL ECUADOR.

Obra que va recogiendo todo un ancestro de historia y de cultura, que va identificando a los diferentes sectores de la Patria, que va definiendo sus valores y aspiraciones y que, junto a su variada configuración geográfica y a su diversidad de climas y de suelos, va enalteciendo un patrimonio nacional, para que, de este mosaico de realizaciones y anhelos, surja el hombre ecuatoriano con una sola identidad.

Esta obra enfoca los principales aspectos del convivir provincial, mira hacia su pasado histórico, para resaltar los hechos más sobresalientes y destacar con un mensaje, a aquellos quienes dejaron un legado histórico y cultural, para luego, grabar en la mente y el corazón de profesionales, obreros, hombres de negocios, estudiantes, en fin, de todo ecuatoriano, un espíritu de unión y trabajo para un Ecuador más grande y soberano.

En esta empresa tan ardua, cada una de las provincias del país ha contribuido con el personal de escritores e intelectuales y con las facilidades necesarias, a fin de que ENCICLOPEDIA DE LAS PROVINCIAS DEL ECUADOR sea una fuente de información y a la vez, medio eficaz de intercambio cultural de las diferentes regiones de la Patria, porque sólo el conocimiento mutuo de las realidades y de los problemas, harán unificar los ideales y anhelos de un pueblo que desea un desarrollo económico en base a una justicia social.

Esta primicia cultural nativa y nativista, es sobre todo un ensayo, el primero y único realizado en este género en el Ecuador. La crítica constructiva analizada por las buenas intenciones de genuino altruismo y amor patrio, nos permitirá llenar involuntarios vacíos y completar nuestro rico acerbo cultural en sucesivas reediciones, a las que nos está obligando la demanda de pedidos de esta Obra Maestra por parte del público.

El editor

Introducción

El archipiélago de Colón es una de las más sorprendentes maravillas de la historia natural. Con sus 19 islas, 42 islotes y 26 rocas, que en total suman ocho mil kilómetros cuadrados de superficie insular, el archipiélago constituye el más grande laboratorio natural de vida animal y vegetal del mundo y en él se resumen millones de años de evolución de la vida sobre el planeta.

Motivo de antiguas leyendas indígenas, refugio de piratas y corsarios punto de confluencia de las grandes corrientes marinas del Pacífico Sur y posición estratégica ambicionada por las grandes potencias del pasado y del presente siglo, el archipiélago es hoy "Patrimonio Natural de la Humanidad", protegido por el Gobierno Nacional y las más importantes instituciones científicas y culturales del mundo.

Cuando Tomás de Berlanga las descubrió y el prohombre Villamil las encargó a la vida nacional, constituyéndose desde entonces en territorio ecuatoriano, con todos los elementos que conforman la nacionalidad, no se imaginaron quizás que posteriormente otros visitantes ilustres vendrían a contribuir a su permanente descubrimiento y revaloración constantes. Charles Darwin, el más ilustre de sus visitantes, se inmortalizó con su obra científica inspirada en la realidad natural de estas islas y contribuyó también a la fama del Archipiélago.

Galápagos visto en era perspectiva que le confiere su consagración de patrimonio de la humanidad, debe constituir consecuentemente un punto de encuentro de todos los hombres de la tierra, pero esencialmente de los científicos, sabios e intelectuales del mundo, sin distinción de nacionalidad o ideología, para que contribuyan con su reflexión, sus investigaciones y estudios en estas islas y sobre su riqueza natural, al progreso de la ciencia y al entendimiento intelectual para la paz y el desarrollo.

Para nuestro país, que tomó posesión de él en 1832 y lo elevó a categoría de provincia en 1973, el Archipiélago de Colón o provincia de Galápagos, constituye uno de sus más preciados recursos naturales y un indudable motivo de orgullo nacional.

A mis hijos
María Teresa y Manuel Efrain

Efrain Romero Palacio
Editor

GALAPAGOS

Patrimonio natural de la humanidad

I. Historia general de la provincia

Las islas encantadas. (Crónica de Sarmiento de Gamboa)

"Topa Inga Yupanqui, conquistando la costa de Manta y de la Isla de Puná y Túmbez, aportaron allí unos mercaderes que habían venido por la mar hacia el poniente en balsas navegando a la vela. De los cuales se informó de la tierra de donde venían que eran unas islas llamadas Hahuachumbi y Ninachumbi, adonde había mucha gente y oro. Y como Topa Inga era de ánimo y pensamientos altos, no se contentaba con lo que en tierra había conquistado, determinó tentar la feliz aventura, que le ayudaba por la mar..."

"Para hacer información y como no era negocio que dondequiera se podían informar de él, llamó a un hombre que traía consigo en las conquistas, llamado Atarqui, el cual todos afirman que era gran nigromático, tanto, que volaba por los aires. Al cual preguntó Topa Inga si lo que los mercaderes marinos decían de las islas era verdad..."

"Y así dicen que se fue por sus artes y tanteó el camino y vido las islas y gente, riquezas dellas, y tornando dio certidumbre de todo a Topa Inga".

"El cual con esta certeza se determinó ir allá. Y para esto hizo una numerosísima cantidad de balsas, en las que embarcó más de 20.000 soldados escogidos..."

"Navegó Topa Inga y se fue y descubrió las islas Hahuachumbi y Ninachumbi, y volvió de allá de donde trajo gente negra y mucho oro, y una silla de latón y un pellejo y quijada de caballo; los cuales trofeos se guardaban en la fortaleza del Cuzco hasta el tiempo de los españoles".

"Este pellejo y quijada de caballo guardaba un Inga principal, que hoy vive y dio esta relación y llámase Urcu Guaranga. Hago instancia en esto, porque a los que conocieran algo de las Indias, les parecerá un caso extraño y dificultoso creer. Tardó en este viaje, Topa Inga Yupanqui, más de nueve meses, otros dice un año y como tardaba tanto tiempo, todos le tenían por muerto..." (Pedro Sarmiento de Gamboa. Cronista de Indias. 1580). (Se respeta ortografía y forma originales).

Estas son las primeras noticias conocidas sobre la existencia del Archipiélago. Sin embargo, casi cincuenta años antes, en 1535, Fray Tomás de Berlanga, llevado por las calmas ecuatoriales y las corrientes marinas, descubrió involuntariamente las islas, hecho que permaneció inédito hasta mucho más tarde.

El cronista Pedro Sarmiento de Gamboa, célebre astrólogo, cosmógrafo e historiador, formaba parte de una pléyada de audaces navegantes e ingenios múltiples que florecieron durante la conquista, juzgado varias veces por la Inquisición, y autor de una Historia de los Incas, es uno de los que recoge la historia anterior a la llegada de los españoles, a través de la legada por los amautas, quienes eran los encargados de la transmisión y la conservación de los hechos del pasado. Los amautas conocían de la existencia del Archipiélago, gracias a la tradición oral, que pasaba de generación en generación, historia que con el tiempo se iba cargando de leyenda y mitología.

◄ *El mar y el cielo "se ven igual de azules" en el luminoso paisaje de Galápagos.*

Montículos de lava, típicos del paisaje de las Islas.

Estos relatos permitieron conocer la historia de los pueblos colonizados; hechos que más tarde fueron corroborados por la investigación histórica.

Perdidas en la inmensidad del Océano Pacífico, a casi 1.000 kilómetros del continente, y situadas bajo la línea equinoccial, las islas Galápagos o Archipiélago de Colón fueron reuniendo también, a través de los siglos y de los relatos de navegantes, náufragos y corsarios, una imagen fantástica. Vislumbradas a través de la neblina de los meses invernales, por marinos extraviados y sedientos fueron llamadas durante siglos "Las Encantadas", y así aparecen en algunos mapas antiguos.

Se ignora si las islas que el Inca Túpac Yupanqui conoció como Hahuachumbi ("Isla de Afuera") y Ninachumbi ("Isla del Fuego") corresponden a Galápagos. El relato de los cronistas confirma y a la vez niega esta suposición: si bien los nombres parecen referirse a la naturaleza volcánica de las islas y el "pellejo y quijada del caballo" corresponderían —en una hipótesis más bien aventurada— a los caparazones de ciertas tortugas del archipiélago que tienen la forma de una montura española, el hecho es que los viajeros no registran las otras características extraordinarias del archipiélago. Por otra parte, la mención de "gente negra y mucho oro", indicaría que el viaje tuvo otro rumbo, probablemente hacia la Polinesia, lo cual no descarta la posibilidad de que también hubieran visitado las islas.

"Ignórase por completo, en que parte del Perú o de los mares que bañan sus costas pudo encontrarse estas cosas", añade Cabello en su Miscelánea Antártica.

Apacible vida de los colonos en las islas encantadas.

Y Jiménez de la Espada, también establece sus dudas acerca de este primer descubrimiento: "Porque el trono de cobre, los prisioneros negros (de los cuales no quedó casta), lo victorioso de la jornada, ni siquiera los cueros de animales semejantes a caballos son parte a ofuscar el conocimiento", dice.

Sin embargo, es un hecho comprobado por antropólogos y lingüistas que los pueblos de la costa ecuatoriana, por el desarrollo sorprendente de su navegación, desde antes de la conquista española, mantuvieron comunicación y comercio con países situados al Norte y al Sur de la línea equinoccial.

El cronista de las cosas de Indias, Pedro Cieza de León, escribe al respecto:

"Noticia muy grande se tiene entre los bárbaros moradores de los valles que están entre los arenales confinantes del austral, que hay muy grandes islas pobladas de gentes ricas y abastadas de muchos metales de oro y plata, y bien proveídas de arboledas fructíferas y de otros muchos mantenimientos, y aún afirman que grandes piraguas o canoas, venían a la tierra firme a sus contrataciones trayendo gran cantidad de oro, y algunos españoles de nuestra nación dicen que en Aucari, que es un valle de estos que digo, se vido un gran pedazo de una de estas canoas o piraguas, por donde se verifica ser verdad lo que apregona esta fama. Y realmente hay islas grandes y muy ricas, las cuales se hubieran ya descubierto, si las guerras civiles con su crueldad hubieran dado lugar".

También confirmado el viaje del Inca, el intrépido navegante Thor Heyerdhal, en 1948, con el viaje de la "Kon-Tiki" demostró que el "factor determinante no es la distancia, sino el hecho de que el viento y las

La sorprendente flora del Archipiélago de Colón.

corrientes tengan o no el mismo curso general, día y noche, durante todo el año. Los vientos alisios y la corriente ecuatorial van hacia occidente debido a la rotación de la tierra y ésta no ha cambiado nunca desde que existe el hombre".

El mismo Heyerdhal realizó después una navegación en balsa contra el viento saliendo desde Guayaquil, y comprobando que los aborígenes perfectamente pudieron llegar hasta galápagos y regresar al Continente.

Además, diversos tipos de cerámicas encontradas en el archipiélago, corresponden a diferentes períodos culturales de los pueblos costeños del Ecuador y norte del Perú.

Carlos Manuel Larrea en su libro "El Archipiélago de Colón" dice: "creemos muy fundada la tradición que cuenta de dicho viaje... la memoria conservada por los huancavilcas, la misma tradición de las noticias que movieron a Túpac Yupanqui a embarcarse y los restos de cerámica preincaica encontrados, prueba que navegantes manteños y de las regiones de Atacames y Coaque, en época muy remota, fueron los descubridores del archipiélago".

Bahía Sullivan en la isla Santiago.

Tomás de Berlanga: un descubrimiento involuntario

Comenzaba 1535 y el monarca español recibía noticias acerca de las divergencias entre los conquistadores Almagro y Pizarro. Fray Tomás de Berlanga, Obispo de Castilla de Oro (Panamá), fue comisionado para señalar los límites de las dos gobernaciones e informar al rey del curso de los acontecimientos. Su viaje a Lima fue una extraña aventura:

Desde el octavo día de navegación, el viento cesó por completo. Sobre las aguas de un mar poseído de extraña calma, la embarcación derivaba mar afuera, hacia la gigantesca incógnita del océano, donde encontró, el 10 de marzo, los territorios insulares, pertenencias hasta ahora desconocidas y anónimas de Carlos V.

Tomás de Berlanga, enfrentado a los paradisíacos paisajes y a los desolados campos de lava, define su apariencia —en una "Carta al Emperador" del 26 de abril de 1535— "como si Dios en algún tiempo hiciera llover piedras".

"... Y en eso, bebióse el agua que en navío había, y estuvimos tres días en tomar la isla con calma, en los cuales así los hombres como los caballos padecimos mucho trabajo.

Surto el navío, salimos todos los pasajeros en tierra, y unos entendían en hacer un pozo y otros en buscar agua por la isla.

Del pozo salió el agua más amarga que la del mar; en la tierra no pudieron descubrir otra agua en dos días y con la necesidad que la gente tenía, echaron mano de unos cardones, como tunos, y porque estaban zumosas, aunque no muy sabrosas, comenzarn a comer de ellas y exprimirlas para sacar agua, de las mismas y, sacada, parecía lavacías de lejía, y bebíanla como si fuese agua rosada". (FRAY TOMAS DE BERLANGA, EPISCOPUS LOCASTELLI, ABRIL, 1535).

Tras la infructuosa búsqueda, los españoles realizan una misa en la playa; rito lúgubre, de hombres acosados por la sed. En grupos se dispersan por las quebradas hasta encontrar finalmente una vertiente, lo que les permitió regresar a sus navíos, no sin antes haber pagado un alto tributo a las islas: dos hombres y diez caballos murieron.

Llegando a Manabí, nuevamente se acabó el agua; con la costa a la vista sobrevino la calma y, una vez más, la corriente los desviaba de su ruta. Después de dos días de angustia, el 9 de abril, las naves entraban en Bahía de Caráquez.

Desde Portoviejo, Fray Tomás de Berlanga escribió a Carlos V para informarle del descubrimiento, narrando las características de las islas y describiendo la variada y extraña fauna del archipiélago, sin dar nombre al territorio recién descubierto.

Once años después de la llegada del Obispo Tomás de Berlanga a las islas, Diego de Rivadeneira, un español renegado, huyó con doce hombres en una embarcación robada para escapar a la cólera del conquistador Pizarro y de su comandante Centeno, apodado "El demonio de los Andes" por su enorme crueldad. Igualmente, a lo ocurrido con el Obispo de Berlanga, Rivadeneira fue desviado de su ruta y, después de 25 días, los prófugos avistaron los volcanes de las islas, donde desembarcaron en busca de agua. Rivadeneira observó las tortugas iguanas y lobos marinos, y la mansedumbre de los animales. El fue el que por primera vez mencionó al gavilán de Galápagos. Este visitante tampoco dio nombre a las islas.

La expedición de Gamboa: Galápagos sigue siendo un enigma

Como las famosas y legendarias islas de Antilla, de San Bandrán y otras en el Atlántico, que en tiempos anteriores a Colón se dice que eran vistas desde lejos por algunos atrevidos navegantes y que se ocultaban a la búsqueda de otros, así el Archipiélago de Colón, varias veces descubierto casualmente, permanecía en el mismo misterio de las tierras incógnitas, justificando el nombre de Islas Encantadas que los españoles le habían dado.

Uno de los navegantes en quien el archipiélago obró su encanto, aunque jamás llegó a conocerlo, fue Sarmiento de Gamboa. Intrigado por los relatos de los amautas, que él mismo se encargara de transcribir, decidió ir en busca de Hahuachumbi y Ninachumbi. Sin embargo, el gobernador García de Castro, confió el mando de la expedición, organizada por Gamboa, a su sobrino Alvaro de Mendaña, joven inexperto, de carácter arrogante y voluntarioso.

A 11 días de zarpar del puerto de Callao, divisaron las primeras islas, pero Mendaña ordena pasar de largo sin desembarcar y continuar el viaje hacia el oeste. Por su parte, Sarmiento era partidario de navegar hacia el sudoeste, donde, 50 años más tarde, Pedro Fernández Quiroz descubriera Australia. La expedición continuó hacia el oeste y arribó a las islas Salomón el 11 de enero de 1568, sin haber encontrado las islas.

*Un pelícano descansa en un acantilado
de la isla Bartolomé.*

"Cerca del comienzo de este mes, vimos unas islas a nuestro estribor, la cual hacía de tierras altas y bajas, siendo una isla que muy probablemente tenga agua, ya que estaba bien provista de bosque, pero por razón de la fuerte corriente que corría allí no pudimos llegar a ella. Esa isla la denominé Rey Carlos II, y según mi juicio, yacía en la latitud de 1°30' L. Sur. Inmóviles hacia el occidente ví varias islas, pero esa fue la que más me complació y vine a anclar bajo una buena bahía, que tenía siete brazos de agua, teniendo hacia el sur de esta isla un buen puerto para albergar muchos barcos... bajamos un bote a la orilla, pero encontramos tortugas terrestres, muy grandes y suculentas, y una clase de aves llamadas flamingo, las cuales, los hombres nuestros trajeron a bordo. Las aves pequeñas, no estando poseídas de temor, se posaban en las cabezas y brazos de nuestros hombres y luego volaban".

(Edward Davis, Corsario, 1684).

Los piratas y las islas

A fines del siglo XVII, Inglaterra extendía sus colonias en el Oriente y Africa, y disputaba terreno a la corona española incursionando en territorio americano. Para romper el monopolio comercial español, que impedía a sus colonias el trato con otros extranjeros, la propia colonia inglesa organizó una escuadra especial para el asalto de los galeones cargados de oro y de los ricos puertos americanos.

Las "Islas Encantadas", se convirtieron entonces en un excelente refugio donde los piratas podían carenar sus barcos, restañar sus heridas, repartirse los botines, planear nuevos asaltos y sobre todo, proveerse de: agua, leña, aceite y carne de tortuga para sus largos viajes.

Uno de los lugares favoritos de los filibusteros era la parte noroccidental de la Isla Santiago, en la Bahía de Albany, que actualmente se llama Caleta Bucanero. Allí encontraron abundancia de tortugas y en época lluviosa una fuente de agua dulce para sus barcos. Varios de esos aventureros eran hombres ilustrados que contribuyeron al desarrollo de la geografía, al conocimiento de regiones casi del todo ingnoradas, que levantaron mapas y aportaron el conocimiento de la naturaleza, el clima, los productos y otros particulares del nuevo continente.

Los filibusteros más famosos fueron: Davis, Cook, Wajer, Knight, Dampier, Cowley y Eaton.

William Dampier, "El Pirata Literato", era un aventurero culto. En sus múltiples escritos revela una gran erudición y una insaciable curiosidad científica. Un tratado que escribió sobre los vientos, mareas y corrientes marinas, le dio renombre entre los navegantes de su época.

Bartolomé: el sol de la tarde ilumina el desértico paisaje de la isla.

En 1648, hizo que su piloto, Ambrosse Cowley, dibujara un mapa detallado de las islas, a las que bautizó con nombres ingleses. Curiosamente les pusieron los nombres de los enemigos oficiales de los piratas ingleses, pues las autoridades inglesas de: Jamaica, Nassau y Bermudas habían recibido orden de Carlos II de colaborar con España en represión de la piratería. Pero esta orden no era tomada en serio, para enojo de los españoles y agradecimiento de los piratas.

Wainman y Brattle fueron bautizados así en honor a lord Wainman y Nicholas Brattle, de Jamaica; Bindloe por el teniente Bindloss, miembro del Consejo de Jamaica; Charles en honor del rey Carlos II y James por el rey Jacobo II.

Al principio Cowley llamó a la isla James, isla del Duque de York.

Cuando poco tiempo después supo que el Duque había sido nombrado sucesor del difunto Carlos II, la llamó Isla James II. Albemarle la llamó así en honor del Duque de Albemarle (George Monk), que había traído a Carlos II y que mantenía buenas relaciones con los piratas.

Narborough, en honor a un conocido navegante de la época. Finalmente, Cowley dio su propio nombre a un islote diminuto y humilde situado entre James y Albemarle. Con respecto a esto, escribe: "Entre las islas York y Albemarle se encuentra una pequeña isla para la que pensé el nombre de la isla encantada de Cowley, pues lo habíamos divisado desde diferentes puntos y siempre aparecía con una forma nueva, unas veces, como una fortaleza destruida, y otras, en cambio, como una gran ciudad".

"Que Cowley —opina Melville— asociar a su nombre con esta isla, que se transfigura y encima se burla, sugiere la posibilidad de que ésta le

Bartolomé: picos de lava emergen entre la escuálida vegetación.

Fernandina: paisaje característico del Archipiélago.

comunicara cierta imagen reflexiva de sí mismo. Por lo menos, dado que él estaba un tanto emparentado con Cowley, el poeta dulcemente reflexivo y crítico de sí mismo, la fantasía podría parecer fundada: pues lo que sobre todo se pone de manifiesto en la denominación de las islas es algo que corre por la sangre y puede hallarse en el pirata y en el poeta''.

Oficialmente el archipiélago aparece en las cartas geográficas publicadas por Ortelius desde 1570, aunque no se hizo ningún esfuerzo por dar nombres individuales a las islas hasta la publicación de la carta geográfica de Ambrosse Cowley.

Más tarde, comisionado por Guillermo II para dirigir una expedición destinada a explorar la Nueva Holanda y Nueva Guinea, Dampier llegó a las islas encantadas en 1684, en compañía de Cook, Davis, Wafer y Cowley, para repartirse el botín tomado a varios veleros españoles después de recorrer desde Panamá hasta la Patagonia.

Los piratas repartieron el tesoro de manera muy original: primero la plata y el oro en monedas en forma equitativa. Luego pusieron a remate las joyas y demás artículos provenientes del saqueo, adjudicándolos al mejor postor, y el producto en dinero volvieron a repartirlo entre todos.

El 2 de agosto de 1707, zarpó del Puerto de Bristol el capitán Woodes Rogers, comandando los barcos "Duke y Dutches", fletados por los mercaderes de Bristol, que financiaban la empresa. William Dampier, quien no había hecho fortuna a pesar de su larga y azarosa experiencia, iba como piloto. En diciembre de 1708 doblaron el Cabo de Hornos y en la Isla Juan Fernández recogieron al célebre náufrago escocés Alejandro Selkirk —el Robinson Crusoe de Daniel Defoe— quien había sido abandonado por el capitán Stradling a causa de una disputa. Después de cuatro años y cuatro meses de aislamiento absoluto, Selkirk fue incorporado a la tripulación de los barcos corsarios que se dirigieron hacia el Norte.

San Cristóbal: un frondoso tamarindo sembrado por el legendario Manuel J. Cobos.

Bartolomé: boquete de chimenea volcánica en medio de una pared de lava petrificada.

Los ingleses salieron de Juan Fernández el 14 de febrero de 1709, y en mayo de ese mismo año se apoderaron de Guayaquil. Exigieron a la población un rescate de 30.000 pesos y amenazaron con incendiar la ciudad si no se les pagaba.

Según se cuenta, al dormir en la iglesia del puerto los piratas profanaron las tumbas y el resultado fue que setenta tripulantes contrajeron la peste. Diariamente morían varios piratas acosados por las fiebres malignas que recientemente habían asolado la ciudad de Guayaquil.

Huyendo del mal, los piratas se dirigieron a su refugio de Galápagos, llevando consigo varios barcos y rehenes. Allí Selkirk exploró varias islas en busca de agua y de uno de los oficiales, Mr. Haltey, que había desparecido en el desolado paisaje de las islas... Las fragatas inglesas volvieron a Inglaterra en 1711 allí se pierde la huella de Dampier.

Una mayor apertura comercial en el continente cambió la vida del archipiélago. Como consecuencia de los tratados de Ultrecht y de una mejor organización de las flotas que custodiaban los galeones españoles, se hicieron más difíciles y raras las incursiones corsarias en las costas e islas del Pacífico.

Sólo las leyendas de maravillosos tesoros escondidos en el archipáiélago siguieron recorriendo América, mientras éste permanecía deshabitado hasta el siglo XVIII.

De 1780 a 1860, las Galápagos se convirtieron en el destino de cientos de barcos balleneros ingleses y norteamericanos que, junto con los cazadores de focas y tortugas, dieron muerte a miles de animales. Las tortugas se llevaron vivas, unas sobre otras, en las bodegas de los barcos, para matarlas a medida que las necesitaban para obtener carne fresca y fino aceite. Se dice que las tortugas podían sobrevivir más de un año en estas condiciones, y sin recibir agua ni alimento.

Puerto Ayora: Bahía de los Académicos.

En 1793, los armadores ingleses destacan una expedición al mando del capitán James Colnett, con la intención de establecer puertos para los barcos balleneros, en pleno auge de la explotación de estos cetáceos.

Colnett realizó prolongados estudios en relación a la nueva industria, pero ésta no prosperó. Incomunicado como estaba, el inglés ideó una forma de correo que se mantiene hasta hoy en la Isla Floreana:

Un barril donde se depositaba la correspondencia, que era recogida y transportada por los barcos que rara vez pasaban por las islas.

En el siglo XIX, los norteamericanos comienzan a desplazar la preeminencia británica en nuestras costas: en 1812, el capitán David Porter, convirtió a las islas en base de operaciones para hostilizar a los ingleses. Porter se apoderó de muchos barcos británicos y llegó a formar una considerable flota. Fue, además, el primer norteamericano que reparó en la importancia de las islas y en la posibilidad de apropiarse de ellas para su país: en 1812, quiso de manera arbitraria tomar posesión de Galápagos y fue plenamente desautorizado por su propio gobierno.

En esa época, Porter escribe sobre acontecimientos ocurridos en las islas, como el duelo de dos oficiales norteamericanos, uno de los cuales, el lugarteniente John S. Cowan, de 21 años, fue muerto y enterrado en la isla James.

Porter consigna también la existencia del primer colono solitario, un irlandés llamado Patrick Watkins, personaje que apareciera más tarde en los relatos de Herman Melville, en su libro The Piazza Tales.

Patrick Watkins fue el primer habitante permanente de las Galápagos, y vivió en la Floreana desde 1807 a 1809. Se supone que fue abandonado o

pidió que lo dejaran allí; subsistía cultivando legumbres que entregaba a los balleneros a cambio de ron para mantenerse borracho.

A golpe de fusil logró dominar cinco infelices marineros a los que convirtió en esclavos. En 1809 robó un barco, mientras su tripulación iba a tierra a la caza de tortugas y se llevó consigo a los cinco esclavos, pero llegó solo a Guayaquil. Nunca se supo qué suerte corrieron estos.

Estos personajes, la violencia y la soledad de sus vidas en la vastedad enigmática de las islas, motivaron al escritor Herman Melville a escribir sus relatos de aventuras. Siendo muy joven, se embarcó como marinero con el objeto de recorrer el mundo. En 1841 llegó a Galápagos, donde la primera impresión, pintada con tintes algo tremendistas, no fue muy agradable:

"Dispersé veinticinco pequeños montes de escoria en un gran lote de terreno; hágase a la idea de que algunos de ellos se transforman en enormes montañas y que todo el espacio libre a su alrededor es el océano; esto le dará una idea bastante aproximada del aspecto general de las Islas Galápagos o Archipiélago de las Galápagos".

"Un grupo, más bien de volcanes inactivos que de islas, semejante a lo que podría ser nuestro planeta después de una conflagración total. Dudo que algún otro lugar de la tierra sea semejante a estos paisajes en desolación; los viejos cementerios, abandonados por siglos; las ruinas de ciudades milenarias que se han ido desmoronando lentamente nos despiertan una profunda sensación de melancolía. Pero como todos aquellos lugares que alguna vez han sido tocados por la mano del hombre, también despiertan en nosotros, sentimientos de simpatía aunque éstos vengan acompañados de nostalgia".

Puerto Villamil: tumbas de los primeros
colonos del Archipiélago.

Otra de las visitas notables de la época fue realizada por el séptimo Lord Byron, transportando los cadáveres del rey y de la reina de las islas Sandwich, quienes murieron de sarampión en Londres, durante una visita oficial a los reyes de Inglaterra.

Durante la época colonial, el archipiélago pertenecía al patrimonio colonial de España, pero una vez lograda la Independencia, las islas prácticamente no pertenecían a nadie.

El gobierno ecuatoriano se encargaría de terminar con esta situación de "res nullius" —Tierra de nadie—, tomando posesión oficial del archipiélago.

José Villamil, héroe de la independencia ecuatoriana, nacido en Nueva Orleans, cuando éste era territorio español y general de brigada del ejército del general Flores —primer presidente del Ecuador— solicitó permiso para colonizar las islas e incorporarlas al patrimonio nacional.

En 1831, Villamil envió una misión exploradora para estudiar la cantidad existente de orchilla —liquen de propiedades tintóreas— y denunció a nombre de la "Sociedad Colonizadora del Archipiélago de Colón", los terrenos baldíos en los que pensaba realizar su empresa.

Al año siguiente, el general Flores autorizó a don José Joaquín de Olmedo para que mandara a tomar posesión de Galápagos en nombre de la República. El 12 de febrero de 1832, el coronel Ignacio Hernández, en nombre del gobierno ecuatoriano, reunió a las tripulaciones de los barcos balleneros que se encontraban en Galápagos y en presencia de ellos, tomó posesión oficial de las islas. Posteriormente, salvo la isla Floreana, bautizada así en honor de Flores, los demás territorios insulares mantuvieron sus nombres ingleses, a pesar del intento hecho en el sentido de cambiarlos por los de personalidades destacadas de la época.

Las islas se incorporaron al patrimonio nacional con el nombre de "Archipiélago del Ecuador".

Para colonizar las islas, Villamil obtuvo el indulto de ochenta soldados condenados por sublevación, a los que se les conmutaba la pena por el extraño destino que debían asumir. Los colonos se instalaron en un lugar llamado Asilo de Paz, que pronto se convirtió en sitio de hastío y nostalgia.

Posteriormente, para incrementar la población isleña, consiguió un decreto por el cual Galápagos se convertía en destierro y prisión para criminales y mujeres de mala conducta. Desde entonces y durante un siglo, las Islas Encantadas fueron escenario de violencia y crímenes.

Villamil abandonó Galápagos y fue nombrado administrador del Archipiélago el Coronel J. Williams, quien gobernaba con mano de hierro y explotaba el trabajo de los colonos para su provecho. Williams vivía rodeado de una guardia de marinos extranjeros, reclutados entre los tripulantes de las numerosas naves balleneras que pasaban por las islas.

Ante los abusos de Williams, los colonos opusieron una tenaz resistencia y le obligaron a abandonar el territorio insular. Villamil intentó rehabilitar su colonia, pero los colonos habían optado por abandonar también la Floreana, habitada solamente por presidiarios.

En 1848, la "fiebre de oro" en California, llevó a dos franceses y un inglés a vender todas sus pertenencias y zarpar desde Chile rumbo a los Estados Unidos. Uno de los socios era el pintor francés Ernest Charton.

Los viejos zarpan de Valparaíso el 25 de octubre de 1848. Charton dirige el buque a Galápagos, con el pretexto de cargar agua. Al tercer día la goleta desaparece con el piloto y cinco personas a bordo.

Española: el impresionante "soplador" de Punta Suárez, producido por la violenta irrupción de las olas en una galería subterránea.

Abandonados, sólo con la compañía hostil de prisioneros y prófugos de la justicia, los extranjeros padecieron la belleza inhóspita de las islas. Al borde de la desesperación vieron venir la goleta Las Dos Hermanas, propiedad del general Villamil, que traía prisioneros de recambio.

Con ruegos, ofrecimientos y la firma de pagarés de una onza de oro por persona, los buscadores de oro pudieron regresar al continente, regreso que culminó un día de marzo de 1859.

En la Isla Charles o Floreana, en 1854, apenas había 25 presidiarios. Los balleneros norteamericanos, aprovechando la falta de vigilancia en el mar adyacente, se dedicaban a la pesca y a la caza y llevaban noticias a Washington de su extraordinaria abundancia.

En 1852, la población de la colonia de la Floreana se encontraba reducida a cuatro civiles y ocho criminales. Ente ellos se encontraba Manuel Briones, apodado después El Pirata de Guayaquil, quien urdió un plan increíble para obtener su libertad: enterado del regreso del general Flores, quien se encontraba desterrado del país, decidió asaltar la flota de Flores y proclamarse libertador del Ecuador.

En esos días apareció el buque norteamericano "George Howland". Los prisioneros se apoderaron de la nave y fueron en busca del general Mena, ex-representante de Villamil, que vivía en otra isla. Briones lo sentenció a muerte y a pesar de las súplicas del anciano general lo hizo fusilar.

Un solitario mangle emerge sobre la playa en Puerto Villamil.

*Bartolomé: La torre, caprichosa
formación natural.*

*Una de las amplias bahías de la isla
Genovesa.*

Una vez en el Golfo de Guayaquil, asaltaron dos embarcaciones floreanas que venían de Valparaíso y el Callao y pasaron a cuchillo a 29 hombres de la tripulación.

De nada valieron a Briones sus ínfulas libertarias, apresado junto a sus compañeros se instauró un juicio, en el cual salieron a la luz todas sus fechorías. Briones fue sentenciado a pena de muerte en la plaza pública y ajusticiado el 22 de abril de 1852.

Con tan turbia experiencia en la colonización del archipiélago, cuando ese mismo año Gran Bretaña propuso "aceptar las islas" en pago de la deuda contraída durante la Independencia, no hubo mayor oposición en Quito. Pero el Perú, Francia y España protestaron por el traspaso y las negociaciones quedaron paralizadas. En ese momento se produce el apresamiento del buque norteamericano George Howland. Estados Unidos trató de cobrar los daños ocasionados a sus ciudadanos, proponiendo la entrega de una concesión para explotar el fertilizante de guano que parecía haber en algunas islas. Esta vez Inglaterra se unió a los países que habían protestado anteriormente, para detener las negociaciones.

Durante el litigio, Estados Unidos pedía cuarenta mil dólares de indemnización, y aducía —para obtener la concesión— que Ecuador no estaba en condiciones de vidilar el archipiélago y que como el fisco ecuatoriano no obtenía entrada alguna, "pudiera acaso estar dispuesto a cederlas a Estados Unidos en condiciones favorables".

El encargado de negocios norteamericano, Mr. Philo White, proponía el pago de un impuesto por tonelada extraída o el pago de dos o tres millones de dólares a cambio del derecho de explotación del guano a perpetuidad.

Isabela: la hermosa caleta Tagus Cove.

En 1854, Mr. White comunica al gobierno que, después de una exploración del archipiélago, se ha comprobado que allí no existe guano. Sin embargo, el general Villamil interviene a instancias suyas, Mr. Brissot, resuelve continuar las exploraciones del archipiélago. En octubre de 1854, el general Villamil eleva un memorial al gobierno del Ecuador —firmado junto a J. P. Benjamín, senador norteamericano y apoderado de Julio Brissot— en el que anunciaba el descubrimiento de inmensos y ricos depósitos de guano, particularmente en la isla Albemarle, y daba a conocer el convenio celebrado entre ellos y el gobierno, de repartir los beneficios acordados por las leyes a los descubridores de riquezas naturales en territorio ecuatoriano.

El convenio incluía una cláusula que aseguraba "la plena autoridad al gobierno de los Estados Unidos de proteger a sus ciudadanos en sus legales trabajos en las islas" y por lo tanto, el derecho de defender los territorios insulares contra incursiones y depredaciones.

Gracias a la protesta internacional, el trato quedó insubsistente, después de un revuelo en la capital que duró más de ocho meses y que culminó con el retiro del Encargado de Negocios del Imperio Francés, al tiempo que el descubrimiento de guano se declaraba ilusorio.

En 1858, el gobierno proyectó arrendar las islas a Estados Unidos, a cambio de un préstamo de varios millones de dólares. Si este proyecto fue considerado, no llegó a realizarse, y las islas siguieron deshabitadas.

Mientras tanto, la presencia humana en Galápagos iba dejando su huella: los anteriores colonos dejaron algunos animales domésticos que se propagaron rápidamente y se convirtieron en salvajes; manadas de perros, gatos, ganado vacuno, cerdos, cabras y asnos vagaban libremente por la Floreana y otras islas.

Isabela: árbol de palo santo.

El último pirata

En 1869 se le adjudicaba la explotación exclusiva de la orchilla al español José de Valdizán, quebrando la naciente empresa Orchillana y de Pesca, de José Monroy, Manuel J. Cobos y su hermano Angel Cobos.

Valdizán explotó la orchilla y se dedicó a la ganadería; estableció dehesas para el ganado y fundó una población, que prosperaba visiblemente.

Ante la necesidad de mano de obra, Valdizón trajo del continente algunos obreros, sacándolos de las cárceles, lo que reanudó el destino violento de las islas.

No tardó en fraguarse una conspiración de los convictos contra Valdizán, y éste fue acuchillado después de una violenta lucha.

Uno de los empleados de Valdizán, el capitán Lewis, se hizo cargo de los bienes y la hacienda de Valdizán, después de dar muerte a los reos.

Esto significó el fin de la explotación de la orchilla, ya que los trabajadores prefirieron ir a trabajar a Chatham, donde serían contratados en condiciones más seguras.

Lewis estuvo presente en el asesinato de Valdizán, luego en el de Cobos, y en 1906 vivía aún en San Cristóbal, en una cabaña junto al guardafaro. Ya sin competencia ni socios —porque Angel Cobos y José Monroy habían renunciado a la empresa—, Manuel J. Cobos estableció su empresa en la Isla San Cristóbal.

Lewis, personaje de leyenda desaparece ocasionalmente, obtiene dinero misteriosamente y es la figura más enigmática de la historia de Galápagos, donde es llamado el Ultimo Pirata.

La maleza ha cubierto las ruinas del Ingenio del tramo Cobos, en San Cristóbal.

Cobos había realizado un viaje por México y Baja California y de allí trajo capitales e ideas nuevas. En 1869 fundaba la hacienda El Progreso, donde introdujo la caña de azúcar, café, uva, cabuya, tabaco y frutales. La empresa progresaba, pero en base a un régimen tiránico que pronto se hizo insoportable para colonos y reclusos.

"Cobos había llegado a hacer circular moneda que el inhumano patrón emitía, —escribe Carlos Manuel Larrea— y con lo que sólo se podría adquirir los artículos más indispensables para la vida en un almacén de la hacienda".

Por la falta más insignificante hacía matar a tiros o latigazos a la gente. A otros los mandaba a islas desiertas, como a un tal Camilo Casanova, quien fue abandonado por más de tres años en Santa Cruz, donde sobrevivió alimentándose de tortugas e iguanas.

Varias veces pasaron por Santa Cruz barcos ingleses que no lo recogieron porque en la otra punta de la Isla, Cobos había puesto un letrero donde prevenía a todo visitante que no recogiera a ese hombre ya que se trataba de un peligroso delincuente.

Los desgraciados habitantes de El Progreso terminaron por amotinarse contra Cobos. Cierto día éste sorprendió a dos trabajadores del ingenio, uno de ellos de nombre Prieto, conspirado para incendiar los canteros de caña. Para que este declarara, ordenó al día siguiente recibiera cuatrocientos palos. Un compañero de Prieto, Puertas, fue temprano a visitar a Cobos para interceder por su compañero. Cobos rechazó la petición de Puertas, quien exasperado, le disparó; luego, al tratar de huir, recibió dos machetazos de otro peón.

Mientras tanto los rebeldes asaltaron la contaduría y se apoderaron de las armas del Estado, dirigiéndose a la casa del Jefe Territorial, quien también resultó muerto.

El 20 de enero de 1904, intentando huir de la pesadilla, 78 hombres, ocho mujeres y cuatro niños resolvieron regresar al continente, para lo cual interceptaron la balandra "Josefina Cobos", a la que bautizaron como Goleta Libertad. Un alemán, Emilio Hansen, que tenía algunos conocimientos de navegación, comandaba la nave.

Genovesa: una tijereta y su polluelo anidan en medio del manglar.

Al llegar al cabo Manglares en Colombia, fueron deportados a Guayaquil para ser procesados. El 23 de febrero de 1904, un barco se dirigía a Galápagos para hacer varias diligencias, entre las cuales se incluía "la exhumación y autopsia de los cadáveres de Cobos y Reina".

Así terminó la Empresa Industrial Orchillana y Pesca. Cuando se supo en el país la horrorosa tragedia ocurrida en la hacienda El Progreso, toda la prensa se ocupó del asunto y se revisó el violento sino del archipiélago, se descubrió que los infelices delincuentes condenados al extrañamiento en las islas, eran abandonados allí, hasta su muerte, y que las autoridades no pasaban de ser aventureros mal pagados que se convertían muy pronto en déspotas que explotaban el trabajo de los penados para su provecho personal.

Considerando que el aislamiento de Galápagos lo situaba fuera de la protección y la acción de las leyes, el Parlamento dictó en 1913 la Ley de Colonización, otorgando grandes facilidades a los colonos para su establecimiento en las islas.

Charles Darwin: una aventura científica

Charles Darwin, de 22 años, inquieto estudiante de Oxford, llegó a la expedición de Beagle respondiendo a un aviso publicado en los periódicos por el capitán Robert Fith Roy, en el que solicitaba alguna persona interesada en realizar estudios de geografía y de historia natural.

Durante su visita de cinco semanas a las Galápagos, se dio cuenta de que la flora y la fauna del archipiélago debieron originarse en el continente y que las diferentes condiciones ambientales de cada isla, fueron modificándolas. El archipiélago fue el origen de su Teoría de la Evolución y del Origen de las Especies, en la cual establece su tesis de que las especies son inmutables, ni constituyen entidades creadas de una vez para siempre, sino que están sujetas al cambio por medio de la selección natural.

Darwin llevó a Inglaterra el único mamífero terrestre que se conoce como autóctono en las islas: un ratón (mus galapogoensis), 26 especies de aves, 15 especies de tortugas, ejemplares de iguanas, 15 especies nuevas de peces de agua salada y 193 especies de plantas, de las cuales 100 eran especies nuevas.

El naturista inglés observó que a pesar de hallarse a 500 ó 600 millas de las costas de América del Sur, vegetales y animales llevan el distintivo indiscutible del continente americano.

Las obras de Darwin y las colecciones por él formuladas, sirvieron de base para monografías científicas como las de George Robert Gray y las de John Gould, sobre la zoología de Galápagos, la del sabio botánico Joseph Dalton Hooker, sobre la vegetación de las islas, y la de Geo Waterhouse, acerca de los coleópteros recogidos por el científico inglés.

"El Beagle navegó alrededor de la isla Chatham y ancló en varias bahías. Una noche dormí en tierra, en una parte de la isla donde numerosísimos eran los conos negros truncados, pues desde una pequeña altura conté hasta 60, coronados todos ellos, por cráteres más o menos completos... A causa de la forma regular de los muchos cráteres, el terreno presenta un aspecto artificial, que me recordó por su parecido, la región de Staffordshire, donde más abundaban las grandes fundiciones de hierro".

"Brillaba un sol abrasador, y era fatigosísimo el caminar por un suelo tan quebrado, teniendo que atravesar espesas malezas; pero me ví bien remunerado por el extraño paisaje ciclópedo. En mi excursión tropecé con dos grandes tortugas, cada una de las cuales pesaría al menos 200 libras; una de ellas estaba comiendo un trozo de cactus, y al acercarme me miró y se alejó lentamente; la otra lanzó un fuerte rugido y metió la cabeza debajo del caparazón".

Charles Darwin

El fin del mundo

Eje de atención de los científicos del mundo, las Galápagos se convirtieron pronto en el sueño de los europeos cansados de la civilización.

Pero ese retorno a la naturaleza —desencadenado por el libro de William Beebe, Galápagos, el fin del mundo— resultó desencantador para muchos de esos migrantes.

Santa Cruz: un hermoso pájaro "brujo" recorta su silueta contra el cielo.

Beebe hizo una descripción tan idílica de las islas, que éstas se convirtieron en la meta irresistible para mucha gente. Harry Randall comenzó en Noruega un plan de colonización con metas tan optimistas que allí la tierra era tan fértil que daría de comer a cien mil personas. De que las islas estaban en gran parte cubiertas de cactos y de campos de lava, nadie quería saber una palabra a pesar de que incluso Beebe se queja en su relato de la escasez de agua y de los puntiagudos bloques de roca volcánica.

Los primeros noruegos desembarcaron en Charles. "Una mirada a la orilla llena de cactos y acacias erizadas de espinas, un soplo del olor de los punzantes arbustos de huyuyu, que impregnaba el aire de Black Beach, bastó para convencerles del engaño. Los naranjales resultaron ser bosques de cactos y esa tierra fecunda que tenía que alimentar a cien mil personas se reveló como un suelo de roca viva. Las islas Galápagos, eran, sin ninguna exageración, el fin del mundo. Un infierno baldío. (Von Hagen, pág. 254).

A pesar de todo, los noruegos emprendieron la construcción de su sueño: canales, casas, una fábrica de conservas de pescado. Pero de los 22 colonos que llegaron a Narvik, emigraron 18 en los primeros seis meses, doce de éstos murieron en Guayaquil.

Sin embargo, seguían llegando colonos. En el espacio de dos años llegaron 124 noruegos y se marchó un número similar, si antes no desaparecieron bajo las piedras de lava.

En 1929 no quedaban más de tres noruegos en todo el archipiélago. La construcción de una pequeña fábrica de azúcar en Santa Cruz también fue un fracaso. La caldera explotó y finalmente el gobierno confiscó los aparejos y los inmuebles porque los colonos no pudieron cumplir sus contratos con el Ecuador.

Finca Las Palmas, en la isla Floreana.

Antiguas salinas de la isla Santiago.

Los cactos son parte esencial de la Naturaleza galapaguense.

El enigma de la baronesa

En 1929, llegó al archipiélago una excéntrica pareja de alemanes: el dentista Fiedrich Ritter y Frau Dora Korwin, naturistas por vocación, quienes antes de dirigirse a Galápagos decidieron sacarse la dentadura y reemplazarla por una de acero, "mucho más resistente", lo cual les hizo famosos.

Ritter y su compañera llamaron a su villa friedo, que en alemán significa paz, nombre formado por las dos primeras sílabas de sus nombres. Construyeron una casa en una zona húmeda, no muy distante de la playa y cerca de un manantial.

Al poco tiempo llegaron los Witmer, un matrimonio también alemanes que se instalaron en las famosas cuevas de los piratas para ocupar posteriormente terrenos que el general Villamil había establecido con el nombre de "Asilo de Paz", nombre que los Witmer decidieron conservar.

La historia de la baronesa Eloísa Wagner de Bousquet —en la cual intervinieron también estos personajes— es una de las más misteriosas y sugerentes de las islas.

Eloísa Wagner era una mujer de modales estrambóticos, casada con un barón francés a quien conoció en Constantinopla y del cual se separó al establecerse en París. Un día llegó a la Floreana con sus dos admiradores: Rudolf Lorentz y Robert Philipson. Los extranjeros habían decidido establecerse en la Floreana para instalar allí un lugar turístico, exclusivamente para millonarios, que se llamaría Paraíso.

La Baronesa —que sabía atraerse la atención de la prensa mundial— se convertiría en "Emperatriz de Galápagos". Entre las noticias que comenzaron a circular en los periódicos, se decía que la nueva "monarca" de Galápagos, junto a una cuadrilla de valientes, había declarado la guerra al Ecuador.

Pero lo único cierto es que la baronesa vigilaba con bastante celo y despotismo las islas. Mató a tiros a un danés y obligó a marchar en sus desvencijadas canoas a un par de náufragos ecuatorianos (Irenaus Eibl Eibesfeldt).

Rudolf Lorentz había sido amante de la baronesa hasta ser reemplazado por Philipson y de patrocinador de la empresa había pasado a ser criado de ambos y víctima de permanentes maltratos.

Una vez instalado el Hotel Paraíso, y a pesar de la gran promoción, el turismo millonario no daba señales de vida. Pasaron los meses y muy pocos barcos se detuvieron en Galápagos, y de estos dos o tres visitaron la Floreana.

Entre ambos grupos de colonos surgió además la rivalidd. Ritter veía en la presencia de la baronesa y sus compañeros una suerte de violación de su fama de ermitaño y la reducción de sus ingresos que en forma de conservas y otros regalos, los ricos turistas americanos le traían de vez en cuando.

Cierto día, Lorentz se presentó ante los Witmer con la noticia de que la Baronesa y Philipson habían desaparecido, que habían partido la víspera en un yate y que él quería regresar inmediatamente a Alemania.

Lo cierto es que nadie vió jamás tal yate y nadie volvió a ver tampoco a la pareja.

En esos días, llegó a Floreana el noruego Trygve Nuggerud, en la lancha "Dynamite", quien sacó a Lorentz de Galápagos. El 13 de julio de 1934 se les vió por última vez, saliendo de la Bahía de Academy. Algunos aseguran haber visto la embarcación poco después, en travesías erráticas entre las islas. Luego desaparecieron.

En noviembre de 1934 ancló frente a Marchena el atunero norteamericano Santo Amaro, cuya tripulación vio a lo lejos un improvisado mástil en la orilla, donde encontraron a Nuggerud y a Lorentz, calcinados por el sol. Del "Dynamite" y del ayudante indígena que llevaban a bordo no había ni rastro.

Días antes, el doctor Ritter había escrito una misteriosa carta a su amigo Allan Hanock: "Han pasado cosas terribles aquí —decía— que no las podría escribir. Tengo que comunicárselas personalmente. Espero su llegada pronto".

Nadie pudo saber de qué noticias se trataban. Poco después de su angustiado mensaje, Ritter murió preso de una serie de espasmos. Su compañera, Dore Strauch Korwin, regresó con el capitán Hancock a Alemania, don-

de escribió su defensa, ya que muchas sospechas recaían sobre ella.

Más tarde, una serie de especulaciones no comprobadas inducían a pensar que los alemanes integraban un equipo de espionaje. Sin embargo, estos hechos, que forman parte de un rompecabezas cuya pieza mayor era la Segunda Guerra Mundial, permanecerán aparentemente en el misterio.

Casi despoblada y cubierta de un halo trágico y misterioso, la Floreana recibió el sobrenombre de "isla maldita", pues en ella la gente fallecía trágicamente, como en el caso de Harry Wittmer, quien murió al darse vuelta el bote en el que pescaba, o el de Felipe Quiroz, residente en la

Floreana desde 1936, quien murió de una cornada en la garganta.

Después de la Floreana comenzó a llamarse "la isla de los desaparecidos", pues todavía quedan en el misterio las desapariciones de una mujer norteamericana, que en 1965 fue al Asilo de Paz por Las Palmas, donde está la tumba de Ritter. Habiéndose separado del grupo, desapareció sin dejar rastro. Otro fue el caso de Mario García, esposo de Floreana Wittmer, quien salió de cacería y no regresó jamás. Más tarde se encontraron algunas de sus pertenencias, pero ni su cadáver ni su fusil aparecieron a pesar de la intensa búsqueda.

Pocos años después, la proximidad de la Segunda Guerra Mundial y la posición estratégica de las islas, dio a Estados Unidos la oportunidad de utilizar Galápagos como base militar.

En 1938, el capitán del yate norteamericano Seven Seas, que en Guayaquil declaró ser carpintero, obtuvo permiso para visitar las islas. Un mes más tarde, el capitán del buque ecuatoriano Eloy Alfaro, lo encontró haciendo observaciones, reconocimientos y estudios con un teodolito en la isla Seymur. Más tarde, la isla fue seleccionada por Estados Unidos como base militar... Siguiendo la "política del buen vecino" Ecuador accedió durante la guerra a cederles dos islas, Seymur y Baltra, como bases, y prácticamente todo el control sobre el resto del archipiélago.

Desde Baltra era posible hacer reconocimientos de cualquier acercamiento al Canal de Panamá, por lo cual resultaba estratégica. El Ecuador resistió los esfuerzos de los Estados Unidos para arrendar o comprar las islas y en 1946 el personal norteamericano abandonó el lugar desmantelando todas las instalaciones.

Floreana: tumba del doctor Ritter.

*Floreana: Pesca submarina en la
Corona del Diablo.*

El muro de lágrimas

Resulta paradógico que un paisaje de tanta belleza, como el del archipiéla-go, haya albergado tanto dolor.

En 1944 se establece la Colonia Penal de la Isabela. Inicialmente la Colonia fue creada para la reeducación de reclusos que, por faltas menores, debían cumplir condenas de no más de cinco años. Pero más tarde recibió a los criminales más aviesos y peligrosos; 231 convictos fueron repartidos en tres campamentos: junto a la costa, los menos peligrosos; a 20 kilómetros, lo que cumplían condenas relativamente largas, y a 40 kilómetros, los más empecinados.

"Aquí los valientes lloran y los cobardes mueren", era el lema de la colonia, famosa por los malos tratos que recibían los presos de parte de sus guardianes.

"Se aplicaba la ley de fuga cuando se evadían; luego se les cazaba como a fieras salvajes", dicen relatos de la época.

Para doblegar su espíritu se construyó en el campamento más retirado, el legendario muro de las lágrimas. Enorme murallón de rocas basálticas de 120 metros de largo, seis de ancho y nueve de alto. En su construcción varios penados murieron cayendo bajo el peso de sus cargas. La fama del penal era tan terrible, que cuando los condenados llegaban a la Isabela, "lloraban como niños y temblaban como mujeres aterrorizadas".

La colonia penal causaba grandes problemas a la población civil de Santo Tomás, hasta que un día, el 8 de febrero de 1958, se sublevaron 21 presidiarios y se apoderaron del Yate Valinda, en el cual regresaron al continente, donde fueron capturados. Gracias a la aventura, el presidente Camilo Ponce Enríquez, decidió suprimir la colonia penal en mayo de 1959.

Ese mismo año se declaró a las islas Parque Nacional, y se creó la Fundación Charles Darwin, con sede en Santa Cruz.

La Estación Científica recibe permanentemente la visita de científicos, estudiantes, periodistas y misiones de todo el mundo.

Leyendas de las islas encantadas

Un paisaje calcinado y envuelto en bruma, pájaros que han perdido la costumbre de volar (como si estuvieran encantados), reptiles de aspecto milenario, palos santos fantasmales, gaviotas nocturnas que no pueden dejar de mirarse los pies, etcétera.

En medio de la soledad del océano, este archipiélago bellísimo y extraño, obró siempre sortilegios en la imaginación de los hombres.

Refugio de audaces navegantes y piratas y más tarde de presidiarios y prófugos de la justicia, de excéntricos y exilados de la civilización. Las islas Galápagos tienen una historia trágica y violenta, llena de crímenes, naufragios, desapariciones, que han ido tejiendo un halo mágico en torno a cada isla.

Su primera historia es su primera leyenda. La del Topa Inga Yupanqui que volvió del océano cuando ya todos lo creían muerto, trayendo trofeos que pudieron ser de Galápagos, y cuya memoria se pierde en el enfrentamiento de la conquista. Más tarde, cuando aún no estaban señaladas con ninguna precisión en los mapas, fueron bautizadas como Las Encantadas por los navegantes que perdían el rumbo o eran atraídos por las calmas ecuatoriales hacia el archipiélago, sin que fuera posible después encontrar la ruta del regreso. Envueltas en la garúa de los meses fríos, la silueta de los volcanes era una presencia fantasmal y obsesionante para los hombres del mar.

Los hombres que colonizaron las Galápagos tenían una innegable dosis de locura. Tantas empresas proyectadas y fracasadas, tantas utopías personales, fueron dejando su huella; un rastro legendario de historias inconclusas e inexplicables.

Isabela: panaga Teresita, utilizada por los penados para su famosa fuga en el yate "Valinda".

"Para las gentes supersticiosas, un genio maléfico parece reinar allí", escribe Paulette de Rendón *(Las últimas Islas Encantadas).*

Los Tesoros

La fatalidad en el caso de Galápagos está unida al oro; islas para aprovisionarse, fondear barcos y esconder tesoros; los piratas dejaron allí cuantiosos botines y paralelamente el deseo, o la locura de encontrarlos.

En cada isla encuentran su secreto emplazamiento. Según dicen, en Isabela, en algún lugar de la costa, existe una cadena herrumbrosa empotrada en la roca y atada a un barco pirata sumergido en el fondo del mar. En San Cristóbal una cadena colgada de un árbol señala el lugar donde está enterrado el tesoro. Se cuenta que, un hombre perdido en el interior de la isla, encontró una vez, pero al querer volver al tesoro, toda huella había desaparecido.

Como las islas que aparecían y desaparecían, también los tesoros aparecen y deslumbran, para sumergirse nuevamente en el misterio. En otros lugares se trata de una losa plana, cubierta de herméticas inscripciones, descubiertas y luego perdidas entre la maleza de viejos cráteres. Un extraño colono norteamericano Mr. Conway, muestra a Paulette de Rendón una de esas losas y asegura que, "20 años atrás un extranjero había venido y de ese hoyo había retirado un cofre".

El azar siempre jugó un papel fundamental, y explica literalmente el fracaso de empresas planificadas minuciosamente por aventureros —en el buen sentido de la palabra— como los de la colonia noruega que se instalaron y acabaron por no trabajar más de dos días a la semana, emborrachándose los demás, y abandonando las islas al agotarse las provisiones.

Isabela: caleta Tagus Cove, refugio de piratas y corsarios.

Y es que, poblar las islas, colonizadas y abandonadas varias veces, implicaba, entre otros retos, una sorda lucha contra el aislamiento, contra esa soledad donde florecen la leyenda y la exageración.

Leyenda de Santa Cruz

Siempre se dijo que en Santa Cruz había un cofre enterrado. Con un mapa comprado en Estados Unidos y la certeza total de no equivocarse, un grupo de ecuatorianos llegó a principios de siglo, a buscarlo. Las altas paredes de lava confirmaron su esperanza: la isla tenía todo el aspecto de contener un brillante y sonoro secreto.

Según el mapa, se encontraba en una caverna sobre el cráter apagado. En vano buscaron la caverna y el tesoro. Al frustrado regreso a Guayaquil, cada uno de los expedicionarios juraba volver en pos del tesoro codiciado.

En Santa Cruz permaneció durante tres años, castigado por el tirano Cobos un tal Camilo Casanova. Su alimento consistía en iguanas y pescado, sangre de tortugas y zumo de cacto. Entrando con enorme dificultad al interior de la isla, encontró unos huertos frutales y animales domésticos en estado salvaje, que le permitieron la subsistencia.

Este segundo Robinson, mantenía, como el de Daniel Defoe, permanentemente el fuego encendido y la noción del tiempo a través de minuciosas marcas gravadas en las cortezas de los árboles. Después del asesinato de Cobos, el gobierno ecuatoriano lo rescató, el 16 de abril de 1904.

Leyenda de Albemarle o Santa Gertrudis

Al sur de la Isabela existe una vieja caverna derrumbada. Allí vivía una anciana de aspecto feroz, a quien los pescadores echaban la culpa de todas las desgracias. Nadie dudaba que allí pasaban cosas extrañas.

La anciana tenía fama de ser un basilisco; nadie tenía la menor idea acerca de su origen y se especulaba que sería la esposa de algún refugiado que se instaló en el pasado allí.

Cierto oscuro y lúgubre día, se vio a la vieja mujer entrar en el poblado, y con el mismo gesto con que los cormoranes se saludaban entre sí, entregó a unos niños, estrellas de mar y caracoles. Los niños la insultaron; los mayores se rieron. Alguien dijo que en esos momentos había visto pasar las alas azules de un grajo (ave parecida al cuervo). Otros dirían más tarde que se trataba de una chova, o quizás de un cuervo.

Otro día, un pescador aseguró haberla visto salir del cráter de un volcán. "Llevaba en el sobaco un bulto informe", se dijo en el pueblo. Entonces quedó claro para todos, que la vieja, los volcanes y el diablo tenían una oscura relación. Por eso, nadie se extrañó cuando algún tiempo después, la anciana desapareció.

Una de las versiones posteriores afirma que, en secreto, los habitantes del poblado le daban dinero a la vieja a cambio de maleficios, y que uno de ellos pagó una considerable suma por los supuestos secretos, lo que le obligó a realizar brujerías que excedían su campo de acción; por este motivo abandonó su lúgubre cueva.

Leyenda de Tower (Genovesa)

Considerablemente alejada del centro del archipiélago, Tower es por definición, la isla del tesoro.

Se cuenta que allí regresaba cada cierto tiempo el capitán Levis, ex-compañero del legendario pirata Morgan; porque en una misteriosa y encantada guarida, cuyo secreto él sólo conocía, estaba el fruto de sus aventuras por las costas de Panamá, México y del Caribe.

Tower tiene un aspecto mágico: entre los arrecifes, cuando la marea está baja, se nota el desmoronamiento de un volcán sumergido, y se hace posible la entrada de pequeñas embarcaciones. En ese sitio el agua se ve amarillenta por el reflejo del cráter en el fondo. En Tower los filibusteros dejaron extrañas inscripciones en las cuevas y aún se habla de restos humanos y enseres que abandonaron a su partida.

Genovesa: leyendas del pasado.

Leyenda de Seymur

Durante la Segunda Guerra Mundial, cuando la isla estuvo temporalmente ocupada por la Marina Norteamericana, una peste asoló la base militar, dejando como saldo cierto número de bajas. Uno de esos muertos sin combate fue el sargento Jones. Un músico que, convertido en fantasma, recorría por las noches el campamento. Tocaba en su violín la Danza Macabra de Saint Saens, o la Marcha Fúnebre de Chopin.

Para el tedio de la base, un fantasma ya era suficiente; cuando cierta noche un centinela supersticioso vio al sargento Jones acompañado por un espectro, pareció llegado el momento de poner fin a estas excursiones nocturnas.

Se comisionó a dos individuos del cuerpo de señales para que sembraran de amuletos los lugares más frecuentados por las apariciones.

"Al personal de cocina —esquivo y de mal humor— escribe Bolívar Naveda en «Galápagos a la vista», se le vio, después de sus menesteres culinarios portar colgadas al cuello, unas bolsitas con dientes de ajo. Un sargento de sanidad militar advirtió a los enfermos de disentería la inconveniencia de caminar bajo una escalera, cazar pinguino de siete pulgadas, verter aceite de tortuga en presencia de un tuerto, y derramar sal en un recipiente próximo".

Para culminar el clima esotérico que se había apoderado de la base de Seymur, un domingo siete, trece hombres de guardia decidieron darle caza a los fantasmas. Se aventuraron en la oscuridad del cementerio, y al llegar a la tumba del sargento Jones, éste se levantó de su fosa "con el cráneo brillante y la sonrisa desdentada".

Al día siguiente, al pasar lista, faltaban trece oficiales que habían hecho guardia la noche anterior. Se les dio de baja por desertores; pero lo cierto es que no por eso los fantasmas abandonaron las islas y aún ahora quienes cuentan esta historia lo hacen presignándose.

Leyenda de San Cristóbal (Chathman)

Los últimos piratas que vivieron en las islas coincidieron —según cuentan— con los primeros prisioneros relegados por el gobierno ecuatoriano o traidos por Valdizán a la "conquista de la orchilla", una de las tantas empresas ilusorias emprendidas en Galápagos.

Cierto día llegó a Chatham una embarcación con veinte mujeres de vida airada, relegadas por las autoridades de Guayaquil.

Al llegar al puerto, la nave fue asaltada por los agresivos habitantes de la isla. Uno de los asaltantes era el capitán Levis, legendario pirata que parecía vivir de un tesoro cuidadosamente oculto en Tower (Genovesa) —un abrupto islote situado en el extremo del archipiélago— quien secuestró a Margarita, una de las relegadas, "la hizo compañera y la amó como un filibustero de Galápagos, hasta morir". (Bolívar Naveda).

Otro de los personajes enigmáticos de las islas era un ruso que vivía como ermitaño en San Cristóbal. Probablemente emigrado después de la revolución bolchevique, tenía los modales y la elegancia de un aristócrata. La clave de su personalidad pareció encontrarse, cuando cierto día las autoridades encontraron en la correspondencia, que un ministro del gobierno de Estonia, averiguaba por el ruso en cuestión y ofrecía cubrir sus gastos de repatriación.

Sin embargo, el ex-noble zarista se negó a dejar las islas, y quienes lo conocieron, cuentan haberlo visto vagando por San Cristóbal en la mayor miseria y abandono.

Leyenda de Santiago (James)

Una de las leyendas de Santiago es la historia de un amor fatal. Juan de Dios Verter, un joven de mala fama, conmovió la paz de los habitantes de Santiago con sus turbulentas orgías. Enamorado de María del Pilar Baquerizo, tuvo que separarse de ella y sobrevino una ausencia llena de fervientes cartas en las cuales imploraba su regreso. Sin embargo, nunca volvió a verla; cuentan que, cuando se dirigía a bordo cruzando la plancha de madera que hacía de puente entre el muelle y la embarcación que la llevaría de vuelta a Santiago, la joven dio un paso en falso y cayó al agua, desapareciendo para siempre.

Como todas las islas, tiene sus muertos misteriosos: en 1835 fue descubierto en el fondo del cráter, el cráneo del capitán de un barco ballenero asesinado años atrás por su tripulación amotinada. En lo alto de la mina quedan aún los restos abandonados de una antigua mina de sal de inagotable riqueza y ligada a una historia terrible.

El Albatros era un barco que llevaba la sal a Guayaquil y traía a Santiago las provisiones para los obreros de la salina. En uno de estos viajes conducía a bordo un grupo de estudiantes universitarios en viaje de estudios, cuando zozobró de la manera más inexplicable.

Tres hombres de la tripulación lograron salvarse en una chalupa en la que llevaron consigo una niñita de dos años y un perro. Después de haber errado durante dos semanas enteras en el océano fueron rescatados moribundos en las costas de Panamá por un navío norteamericano. Habían sobrevivido, alimentándose del animal y de la pequeña...

Leyenda de Floreana: El Misterio de la Baronesa de Wagner

Una de las historias de Galápagos que mayores incógnitas ha dejado sin resolver es la de la famosa Condesa de Wagner (ver Historia de las Islas Encantadas).

Muchos piensan, como Bolívar Naveda, que el grupo de alemanes instalado en la Floreana pertenecía a una vasta red de espionaje del III Reich.

Detrás de una apariencia de excéntricos y naturistas, los germanos estarían encargados de "hacer sondajes, poner señales, realizar estudios geográficos y descubrir lugares ocultos apropiados para depósito de combustible".

Santiago: ruinas de las minas de sal de Puerto Egas.

Naveda sigue su argumentación diciendo que estos trabajos, "más tarde, seguramente, los confirmó el súbdito alemán Von Hagen detenido por orden expresa del Presidente Roosvelt en San Francisco de California, por haberse descubierto sus maniobras de espionaje y comprobado la venta de documentos sobre Galápagos al gobierno Nazi".

Lo cierto es que la obligada convivencia de los Wagner y de sus dos acompañantes, Lorentz y Philipson, estuvo marcada por el misterio y la muerte.

Señalado de trecho en trecho por cráneos de toros y vacas, suspendidos en las ramas, el camino que sube a la parte alta de la Floreana lleva al abandonado asilo de paz, la primera colonia enviada por Valdizán, donde se instalaron Ritter y su compañero.

Se cuenta que al llegar a la isla, bailaron al son de un fonógrafo, durante mucho tiempo practicaron el nudismo y fueron visitados como curiosidades por adinerados turistas europeos y norteamericanos.

Después se desencadenan las muertes y desapariciones de Lorentz y Philipson y la "Emperatriz de Galápagos"... Dora Korwin abandona la Floreana en el barco del capitán Hancook, el velero III, provisto de todos los perfeccionamientos técnicos para investigaciones de todo tipo, donde viajaban jóvenes melómanos que en la noche convertían al velero en una melodía flotante.

Sin embargo, el viaje de Dora Korwin es evidentemente una huída. En el enfrentamiento con las autoridades no se deja interrogar y dice que desde Alemania... escribirá sus impresiones sobre el Ecuador.

Sólo los Wittmer permanecen en la Floreana. Sin una explicación coherente, la desaparición de la baronesa y sus dos amantes crece y se bifurca en la imaginación popular mientras la naturaleza vuelve a apropiarse del jardín y de la casa Villa Friedo y el gato de Ritter se vuelve salvaje.

Las islas galápagos y las ambiciones extranjeras

Situadas en el corazón del Pacífico Sur, en una formidable posición estratégica respecto de los países centro y sudamericanos, en una obligada zona de paso de importantes rutas navales y en medio de una riquísima zona pesquera, las islas Galápagos estuvieron desde comienzos del siglo XIX, en la mira de las grandes potencias marítimas occidentales, que ambicionan su posesión con fines bélicos y comerciales.

En 1812, mientras nuestro pueblo desarrollaba su lucha por independizarse del colonialismo español, la marina de guerra norteamericana ya había convertido a las islas en base de operaciones contra los navíos de guerra y los barcos pesqueros ingleses que operaban en la región.

Para entonces, las islas formaban parte de los territorios coloniales hispanoamericanos y, al menos teóricamente, continuaron bajo este estatuto legal hasta que se logró la independencia de la antigua Real Audiencia de Quito y de los demás países del área.

Finalmente, dos años depués de producida la separación del Ecuador de la Gran Colombia, las islas fueron oficialmente integradas al territorio ecuatoriano, el 12 de febrero de 1832.

Rompeolas y muelle de la isla Plaza.

No obstante su incorporación legal a nuestro país, las islas continuaron siendo objeto de la ambición de las grandes potencias marítimas, que veían en ellas una óptima ubicación para la instalación de bases carboníferas y establecimientos balleneros. Y esa ambición se avivó, aún más, cuando poco después se descubrió la existencia de importantes depósitos de guano en las islas Chinchas del Perú, por estimarse que también las islas Galápagos poseían depósitos de ese fertilizante natural.

Al respecto, Gonzalo Ortiz Crespo (El Imperialismo de las Islas Galápagos) señala que, en 1852, el ministro plenipotenciario norteamericano en el Ecuador, Courtland Cushing, informó a su gobierno que "el gobierno ecuatoriano se encuentra sin medios de cuidar las Galápagos, y puesto que las islas no producen ingresos, podría desear cederlas a los Estados Unidos en términos razonables".

Por entonces, aprovechando el interés norteamericano sobre las islas y su condición personal de Encargado de Negocios del Ecuador en Washington, el General José de Villamil —promotor de la incorporación de las islas a la soberanía ecuatoriana— ofreció a los Estados Unidos la cesión de la isla Floreana, para el establecimiento de una estación carbonífera norteamericana que abasteciera a los buques de vapor de esa bandera que operasen en el Pacífico Sur.

Puerto Baquerizo Moreno: bitácora de la Segunda Zona Naval.

La Misión Franciscana de Puerto Villamil.

Paralelamente a las gestiones de Villamil, representantes británicos buscaban obtener la cesión de una parte del archipiélago, dentro de la renegociación que entonces efectuaba de la deuda ecuatoriana de la independencia.

Según Ortiz Crespo, "fue entonces cuando la espectativa de encontrar guano en las Galápagos condujo a nuevas negociaciones, incluso, a la firma de un tratado entre el Ecuador y los Estados Unidos para una virtual cesión del Archipiélago".

Detrás de estas negociaciones estaba un ambicioso empresario norteamericano, Julius de Brissot, interesado en el guano que se creía existía en las islas. Y actuando como apoderado de éste, aparecía el senador Judah P. Benjamín, conocido líder expansionista del congreso norteamericano y quien, para entonces, adelantaba ya un proyecto para despojar a México del Istmo de Tehuantepec, con miras a la construcción de un canal interoceánico.

La negociación sobre las islas avanzó rápidamente, gracias al respaldo oficial norteamricano, ejercido a través de Philo White, Encargado de Negocios en el Ecuador. En noviembre de 1854, White informó a su gobierno que el Tratado había sido suscrito y, poco después el convenio pasó a conocimiento del congreso norteamericano que lo ratificó.

Según el documento, a cambio de una concesión guanera de plazo indefinido, que otorgaba a la empresa de Bissot y Benjamín, el Ecuador recibía de los Estados Unidos un importante préstamo que debería ser cancelado con las "regalías" que nuestro país recibiese por la explotación guanera. Y, como si estos términos del contrato no fueran suficientemente onerosos, el Tratado establecía una virtual hipoteca de las islas Galápagos como garantía de pago del empréstito.

La discusión del Tratado en el Congreso Nacional dio lugar a la airada reacción de varios legisladores de la oposición, que acusaron al régimen de Urbina de enajenar el país y traicionar los más altos intereses nacionales.

Una colorida calle de Puerto Baquerizo Moreno.

Paralelamente al estallido de esta oposición parlamentaria, el gobierno liberal debió enfrentar tambián la activa oposición diplomática del Perú, España e Inglaterra, que estimaron que el Tratado afectaba a los intereses de sus respectivos países.

Al fin, acosado por la oposición interna y externa, y sobre todo, enfrentando a la evidencia de que no existían depóstitos de guano en las islas, el gobierno de Urbina se vió en el caso de anular la concesión guanera otorgada a Brissot y Benjamín y declarar caducado por falta de ratificación el Tratado suscrito con los Estados Unidos.

Pero ese momentáneo fracaso no arredró a los Estados Unidos en su intento de obtener la posesión de nuestro Archipiélago. Dos años después, aprovechando la difícil situación internacional que enfrentaba el Ecuador por la agresiva oposición peruana al convenio Espinel Mocatta —por la que el Ecuador e Inglaterra habían acordado los términos de arreglo de la deuda de la independencia—, su representante en Quito, Philo White, volvió a la carga. Esta vez negoció con el gobierno del presidente Robles un empréstito norteamericano de tres millones de dólares, con el cinco por ciento de interés anual y la garantía hipotecaria de las islas Galápagos.

Ante las nuevas negociaciones ecuatoriano-norteamericanas, se encendieron otra vez las críticas parlamentarias y la oposición diplomática extranjera. En una histórica intervención en el Congreso de 1857, el senador Gabriel García Moreno, manifestó al respecto:... "aunque no hay temores de guerra, se negocia actualmente aquel empréstito con los Estados Unidos, dándose por hipoteca el Archipiélago de Galápagos. Un país pobre por su atraso, débil, exhausto, jamás podría pagar el enorme capital y los crecidos intereses del empréstito. Tendría que ceder la propiedad de las islas hipotecadas y tal vez alguna porción del territorio nacional. Y entonces, establecido en esas islas el nido del águila norteamericana, emblema de la rapacidad y de la fuerza. ¿qué será de la independencia del Ecuador y demás repúblicas vecinas?"

Una vez más, la oposición parlamentaria y diplomática frustraron las negociaciones del empréstito y el gobierno de Robles, a través de su Ministro de Relaciones Exteriores, doctor Camilo Ponce, informó oficialmente al Congreso que no existían negociaciones al respecto.

Las ambiciones británicas

Paralelamente a los esfuerzos norteamericanos por posesionarse del Archipiélago Colón, se desarrollaron los de Inglaterra. En la práctica, las maquinaciones de ambas potencias se enmarcaban dentro del cada vez más amplio enfrentamiento que ellas protagonizaban por el control económico y estratégico de América Latina.

Desde los tiempos coloniales, las islas Galápagos habían sido para Inglaterra una utilísima base estratégica para la guerra de corso contra España y una insustituible zona de aprovisionamiento para sus flotas pesqueras y balleneras. Fue así que, en 1793, el capitán James Colnett fue enviado por los armadores británicos, con la misión de estudiar la posible instalación de un centro ballenero permanente en el Archipiélago. Posteriormente, entre 1803 y 1825, media docena de expediciones británicas visitaron las islas con diferentes objetivos.

La penúltima de esas expediciones fue la del naturalista Scouler, cuya obra sobre la fauna de las islas, publicada poco después en Inglaterra, incentivó el interés científico de Charles Darwin y promovió la expedición del Beagle, en 1835. A su vez, la publicación de la obra de Darwin, El Origen de las Especies, vino con seguridad a reforzar el interés británico por posesionarse de las islas, las cuales, a su conocida utilidad estratégica, unían ahora una trascendental importancia científica.

A propósito, es necesario mencionar que, con motivo de la negociación del pago de la deuda inglesa o deuda de la independencia, el Ecuador había otorgado a Inglaterra una inmesa concesión territorial en Esmeraldas, la misma que incluía el puerto de San Lorenzo. Además, dentro de dicha negociación, Inglaterra había pretendido obtener una concesión territorial en las islas Galápagos, aunque sin éxito. De todos modos, las concesiones logradas en Esmeraldas pasaron a figurar en los mapas del Almirantazgo británico —al decir de Jorge Villacrés Moscoso—"como otros tantos terrenos ingleses en el mundo: pertenecían a la Ecuador Land, habiendo ellos asentado jurisdicción inglesa".

El interés del Almirantazgo inglés por estas nuevas concesiones británicas, fue tan grande que de inmediato se envió a nuestro país una comisión que estudiara las condiciones técnicas y estratégicas del puerto de San Lorenzo, "con resultados totalmente satisfactorios".

Entre 1852 y 1857, los gobiernos de Urbina y Robles, interesados en lograr la colonización de los territorios amazónicos ecuatorianos, aprovecharon el marco de negociaciones de la "Deuda inglesa" para otorgar a los acreedores británicos ciertas concesiones de tierras en el Oriente, las que conllevaban para la contraparte británica el compromiso de poblar con colonos ingleses las tierras otorgadas en pago de la deuda.

Pero estas concesiones fueron inmediatamente objetadas por el gobierno del Perú, que se hallaba interesado por su parte, en evitar el poblamiento de dichas regiones, para facilitar sus propios avances territoriales.

Finalmente, luego de una prolongada crisis diplomática, promovida por los representantes peruanos en Quito, el mariscal Ramón Castilla, Presidente del Perú, lanzó una expedición militar contra el Ecuador, bloqueando el Golfo de Guayaquil y ocupando parte del territorio ecuatoriano.

Santa Cruz: entrada al Parque Nacional Galápagos.

Superada al fin la crisis nacional de 1859-60 y unificado nuevamente el Ecuador bajo la férrea autoridad de García Moreno, continuó pendiente el arreglo de la deuda inglesa, dificultado en su ejecución la imposibilidad práctica que se halló Inglaterra para utilizar las concesiones de tierras orientales que le hiciera el Ecuador.

Y ello dio lugar a que, en 1866, Inglaterra presionara al gobierno ecuatoriano "para un arreglo que incluyera ya no concesiones de explotación sino la cancelación de parte de la deuda con la entrega de las islas (Galápagos)".

La firme actitud que entonces asumió el gobierno de García Moreno ante estas pretensiones, evitó que ellas tuvieran éxito, pero de todos modos el hecho excitó el celo norteamericano sobre la situación del Archipiélago.

La escalada diplomática norteamericana

Como es conocido, luego del período de reconstrucción que siguió a la Guerra de Secesión, los Estados Unidos tuvieron un período de formidable desarrollo industrial, el cual impulsó a su vez a una acrecentada carrera expansionista.

En el caso de nuestro país, la nueva situación trajo consigo, una aún más audaz y agresiva política norteamericana respecto del Archipiélago de Colón.

Un hecho significativo fue que en 1880 llegaron a nuestro territorio insular una delegación científica de la Fish Commission of California, para realizar observaciones y estudios sobre pesca, casi al mismo tiempo que dos expediciones científico-militares británicas visitábanlas. (En los años posteriores, las expediciones norteamericanas hacia las islas se multiplicarían, destacándose entre ellas la que realizara, en 1926, el magnate siderúrgico y ferroviario Cornelius Vanderbilt, a bordo de su yate Ara).

Poco después de que la expedición científica de la Fish Commission llegara a las islas, el secretario de estado James G. Blaine enviaba al Ecuador a Mr. George Earl Church, en calidad de agente especial y con la misión de "preparar un informe completo y detallado sobre el Ecuador y proporcionar los argumentos para un nuevo intento de los Estados Unidos con relación a las Galápagos: debía probar que el archipiélago no pertenecía al Ecuador".

Floreana: destacamento de la Armada Nacional del Ecuador.

Church cumplió su cometido a cabalidad. Después de analizar detallada-
mente la situación general del país, concluyó informando: "la historia
política de las islas es que un estadounidense, el general Villamil, con sus
energías y su fortuna ocupó las Galápagos por un número de años; que el
gobierno del Ecuador, cuya asistencia él reclamaba, puso todos los obstáculos en el camino de sus esfuerzos para la colonización, y que a su
muerte las islas han sido prácticamente abandonadas... No se ha hecho
nada desde la muerte del general Villamil para solucionar la ruina que el
gobierno causó (sobre) sus espléndidos sacrificios y perseverancia. Mi
opinión es que la ocupación de las Galápagos por parte del Ecuador no
existe en un grado suficiente como para justificar el respeto de otras
naciones".

Como certeramente señala Ortiz Crespo, "la pretensión que esconde el
párrafo es evidente: el archipiélago de Galápagos era res-nullius tierra de
nadie. El camino quedaba así abierto para cualquier país que estableciera
en una de las islas una estación carbonera, o para que se apoderara de todo
el archipiélago si así lo deseaba.

Finalmente, la teoría de que las islas Galápagos eran "tierra de nadie" fue
oficializada por el senado norteamericano, mediante la publicación del
informe Church. Para nuestro país, ello significaba que, a partir de ese
momento, estaba abocado al inminente peligro de una ocupación norteamericana del archipiélago o, en el menor de los casos, a una agresiva

presión diplomática estadounidense tendiente a forzar la enajenación de nuestras islas del Pacífico. Por entonces, en viaje de regreso al Ecuador, el embajador ecuatoriano en Francia, doctor Antonio Flores Jijón, conoció la oficialización de la tesis de que las Galápagos eran "res nullius" y reaccionó enviando una carta al New York Herald, en mayo de 1833.

En dicha carta, Flores inquiría si la adquisición de nuestras islas era parte del plan expansionista continental del secretario de estado Blaine y, paralelamente, dejaba entrever a la opinión pública norteamericana que la tesis Church facilitaría en la práctica, cualquier intento británico por apoderarse de las islas ecuatorianas.

La carta de Flores tuvo efectos favorables para nuestro país, pues, creó en la opinión pública norteamericana un sentimiento contrario a la anexión de nuestras islas.

Sin embargo, lo logrado no fue más que un respiro momentáneo, pues, los intereses estratégicos de los Estados Unidos y las ambiciones económicas de sus empresas navieras y pesqueras ya habían redondeado para entonces una global política de expansión para el área oriental del Océano Pacífico, que incluía entre sus objetivos inmediatos: el control total de las islas de Samoa, cuyo protectorado compartía con Inglaterra y Alemania; la anexión definitiva de las islas Hawai, cuya economía controlaba ya totalmente; el establecimiento de un "protectorado" sobre el departamento peruano de Tarapacá, rico en salitre; la construcción de una base naval en el puerto norperuano de Chimbote y la ocupación de las islas Galápagos por cualquier medio legal o de fuerza que fuese posible.

Como parte previa del mismo plan expansionista, los Estados Unidos se habían apoderado anteriormente de la isla Johnston y de los islotes de Howland, Baker y Jarvis, situados en el área ya descrita.

Para la consecución de sus objetivos, los Estados Unidos habían puesto en marcha desde años atrás sus ya conocidos métodos: envío de inmigrantes, instalación de casas comerciales, negociaciones diplomáticas y demostraciones de fuerza.

En el caso de nuestro país, las negociaciones diplomáticas para obtener la enajenación de las Galápagos, fueron combinadas, por parte de Estados Unidos, con amenazas navales contra nuestro territorio. En efecto, entre 1885 y 1888, al mismo tiempo que sus tropas desembarcaban en Panamá y Haití, se presentaron en nuestras costas dos expediciones navales intimidatorias, a pretexto de proteger a un ciudadano ecuatoriano que años atrás había obtenido la nacionalidad estadounidense, el cual, para entonces, se hallaba preso y enjuiciado legalmente en el Ecuador (Julio Romano Santos).

La larga odisea de las Galápagos

Como parte de su acción diplomática internacional, el congreso norteamericano autorizó, en 1888, al gobierno del presidente Cleveland, para convocar a los restantes países de América a una conferencia destinada a "formar una unión aduanera" y "asegurar mercados más extensos de los productos de cada uno de los referidos países", según rezaba la respectiva ley.

Se trataba de otra iniciativa del secretario de estado Blaine y tendía, en la última instancia, a obligar a los demás países a adoptar una moneda común y a la creación de cierta Unión Comercial de las Repúblicas Americanas, mecanismos que facilitarían la expansión económica norteamericana y a la creación de economías subsidiarias en los países de América Latina.

Santa Cruz: una típica finca de colonos galapaguenses.

A fines de 1889, delegados de 19 repúblicas americanas se congregaron en Washington para asistir al Primer Congreso Panamericano, cuyos resultados fueron finalmente contrarios a las expectativas de sus organizadores.

El delegado ecuatoriano a dicha conferencia fue José María Plácido Caamaño, ex-presidente de la República y gobernador en funciones de la provincia del Guayas. Tras su momentánea actuación diplomática, Caamaño, empresario ultraconservador y político de gran influencia en el gobierno, resultó ser el contacto ideal para el nuevo emisario norteamericano que gestionaba la adquisición de nuestras islas, Rowlands B. Mahany.

En conversación confidencial sostenida con éste, Caamaño prometió que "iba a utilizar toda su influencia contra cualquier proposición de Gran Bretaña y en favor de cualquier proposición de los Estados Unidos".

Sin embargo, pese al poderoso respaldo de Caamaño, el nuevo intento norteamericano de adquirir las islas resultó igualmente frustrado, debido especialmente a la oposición del presidente Antonio Flores Jijón, a quien ,a su vez, la opinión pública acusaba de haber recibido coimas para favorecer a los interesados británicos en este antipatriótico negocio.

La conclusión del período del presidente Flores y el arribo al poder del presidente Luis Cordero, el 1 de julio de 1892, aparentemente facilitaron los planes diplomáticos de los Estados Unidos, dado el hecho de que Caamaño —que continuaba al frente de la gobernación del Guayas— se convirtió en el "hombre fuerte" del nuevo gobierno.

Pocos meses después de la toma de posesión de Cordero, la prensa internacional —seguramente informada por los otros interesados en la adquisición de nuestras islas— denunciaba que el Ecuador y los Estados Unidos andaban en negociaciones secretas para la venta del archipiélago. La prensa ecuatoriana de oposición se hizo eco inmediatamente de tales denuncias, lo que vino a complicar la por entonces ya difícil situación interna que afrontaba el régimen de Cordero. Al fin, el propio presidente y su canciller, doctor Vicente Lucio Salazar, tuvieron que desmentir oficialmente la existencia de tales negociaciones y exigieron una aclaración pública de parte del embajador norteamericano.

Ante tal requerimiento ,en nota dirigida a la cancillería ecuatoriana, el 23 de abril de 1893, Mahany explicó: "...No se ha hecho tal tratado y hablando con respecto a mi nación, puedo asegurar que los Estados Unidos no tienen designios de ninguna especie sobre esas islas, salvo el amistoso deseo de que el Ecuador continúe con la segura posesión de ellas... Y yo puedo añadir que es un deseo cordial de los Estados Unidos el que el dominio de aquellas islas continúe a perpetuidad bajo el Ecuador".

Detrás de los "cordiales y amistosos deseos" manifestados en la nota, se ocultaba una nueva frustración de las ambiciones extranjeras sobre nuestro territorio, causada esta vez por la valiente y acuciosa labor de la prensa nacional.

Dos años después, el frustrado negociador de la venta de las Galápagos, José María Plácido Caamaño, —en quien el presidente Cordero había depositado una "confianza ilimitada"— hallaba nueva oportunidad para ejercitar su oficio de vendepatria: la venta de la bandera. Con ello, y a su pesar, Caamaño prestaría un servicio a la historia, facilitando la descomposición final del régimen oligárquico y el triunfo de las montoneras liberales, a las que él mismo calificara tiempos atrás como "hordas de bandidos".

Puerto Baquerizo Moreno: edificio del Banco Nacional de Fomento.

Las ambiciones norteamericanas

Luego de triunfar en 1895, la revolución liberal hubo de enfrentar una nueva escalada de presiones extranjeras que buscaban la enajenación de nuestras islas.

Pobre, débil y estremecido aún por los efectos de una larga guerra civil, el Ecuador se abocó a una ardua tarea de reconstrucción y modernización nacional, que requería de grandes inversiones públicas. Entonces, queriendo aprovechar en su beneficio las urgencias económicas del Estado Ecuatoriano, se hicieron presentes varios países y corporaciones extranjeras insertadas en la compra, o arrendamiento del Archipiélago Colón, o de alguna de sus islas.

Un consorcio europeo ofreció 25 millones de dólares por la venta de las islas y el gobierno de Francia propuso 100 millones de francos por el arrendamiento de un puerto libre.

Puerto Baquerizo Moreno: calle del malecón.

Los Estados Unidos, que avanzaba con los planes para la construcción del Canal de Panamá, consideraron que el control de la Galápagos era una necesidad estratégica para la protección del futuro Canal.

Fue así que el gobierno de Taft instruyó a su embajador en Quito, Archivald Sampson, para que propusiera al gobierno ecuatoriano el arrendamiento de la isla Chatham por el lapso de 99 años y un pago de cinco mil dólares anuales. Finalmente, estas propuestas no prosperaron, como no prosperó una contraoferta del general Plaza al embajador Sampson, para hipotecar las islas a cambio de un préstamo norteamericano de 10 millones de dólares.

Sin embargo, ello no significó el fin de las ambiciones norteamericanas sobre el archipiélago, ni mucho menos. Por el contrario, el reavivamiento de nuestro secular conflicto limítrofe con el Perú (1906), abrió nuevas perspectivas para ellas.

Sesenta años antes, el embajador de Estados Unidos en Quito, Philo White, había señalado a su gobierno: "... Puesto que no tenemos que tomar parte en la disputa que ellos sostienen, nos aprovecharemos... de los actos del Perú y del Ecuador de la forma que más convenga a nuestros intereses".

Iniciado el segundo Gobierno de Alfaro, la lección de White fue puesta en práctica, aprovechando una nueva propuesta ecuatoriana de hipotecar las islas a cambio de un préstamo de 10 millones de dólares y una alianza militar que garantizara la integridad territorial del Ecuador.

Puerto Baquerizo Moreno: monumento a Carlos Darwin.

Para el gobierno liberal se trataba, desde luego, de una dolorosa opción que imponían las circunstancias internacionales: arrendar las islas para garantizar y defender la integridad del amenazado territorio continental. Y la opción era doblemente dolorosa si se considera la grave polarización de posiciones que produjo en el interior del país por la cual dos bandos igualmente patrióticos se enfrentaron en amarga y virulenta disputa política.

Junto a Alfaro se colocaron eminentes opositores ideológicos como Juan Benigno Vela y el insigne orientalista padre Enrique Vacas Galindo, los cuales iban aún más allá y proponían la venta del Archipiélago para obtener fondos destinados a la defensa nacional.

A su vez, a la oposición conservadora se sumó la resistencia abierta de prominentes liberales y la reacción airada del máximo dirigente de la Iglesia Católica, monseñor Federico González Suárez, quien acusó a los gobernadores liberales de "estar cavando obstinadamente la tumba para el Ecuador" y de pretender convertir al país en "pasto del águila angloamericana".

Si la cuestión de arrendamiento de las islas era vidriosa de por sí, lo fue aún más, debido a la presencia de un turbio personaje en quien Alfaro —como antes hiciera Cordero con Caamaño— había depositado una confianza ilimitada: Mr. Archer Harman, contratista de la construcción del ferrocarril Guayaquil-Quito.

Empresario de brío y aventurero audaz, mitad y mitad, Harman eran un típico representante del capitalismo norteamericano: llegó el Ecuador sin capital pero con fama de empresario; obtuvo el contrato del ferrocarril y con los mismos bonos nacionales adquirió la maquinaria y materiales para la obra, y finalmente se convirtió en acreedor del país y dueño del ferrocarril que el mismo Ecuador había financiado.

Para mediados de 1909, Harman había encontrado ya una nueva forma de esquilmar al Ecuador. Poco antes, el secretario de estado yanqui Philander C. Knox había decidido tomar por cualquier medio las Galápagos para garantizar la defensa del Canal de Panamá.

Isabela: edificio del Consejo Municipal.

Iglesia de Puerto Ayora.

Santa Cruz: edificio del Consejo Municipal.

Aprovechando la preeminencia lograda en el Ecuador y su amistad con Alfaro, Harman se convirtió en el intermediario de la compra de las islas por parte de Estados Unidos.

Autorizado por el Congreso Nacional y urgido por las necesidades de la defensa, Alfaro hizo una contrapuesta: el arrendamiento de las islas a cambio de 15 millones de dólares y el compromiso norteamericano de "garantizar la integridad del territorio del Ecuador". Paralelamente, el Viejo Luchador inició negociaciones con varios países europeos, con miras a renegociar la deuda externa y obtener fondos para la defensa nacional.

Ampliamente instruido por Harman sobre la difícil situación financiera del Ecuador, el departamento de estado se prodigó entonces en amenazas y presiones sobre nuestro país, tratando de que el Ecuador desistiera de buscar nuevas fuentes de financiamiento y más bien ejecutar inmediatamente la enajenación del archipiélago.

Al fin, receloso de su propia temeridad al haber entablado dichas negociaciones, Alfaro dio marcha atrás y sometió la cuestión al dictamen de la opinión pública.

Mediante circular de enero de 1911, encargó a los gobernantes de todo el país "convocar a las personas más honorables de esa provincia, sin exceptuar de ningún partido político, y que les consulten sobre el arrendamiento de que se trata".

"Si estas juntas opinaran en sentido contrario —continuaba Alfaro en su circular—, el gobierno se abstendrá de tomar en consideración la propuesta".

Realizadas las consultas, la opinión mayoritaria del país fue contraria a la negociación, por considerarla atentatoria contra la dignidad e integridad territorial del país.

Así, la oposición popular salvó a nuestro archipiélago de la voracidad extranjera.

Situación geográfica

La provincia de Galápagos (islas Galápagos), se encuentra sobre la plataforma submarina de Galápagos, a 972 Kms. (525 millas marinas) de las costas ecuatorianas, entre los 1° 40' de latitud norte y 1° 36' de latitud sur, y entre los 89° 16' y 92° 1' de longitud occidental Greenwich.

Conformación

El archipiélago está conformado por 5 islas de más de 500 Kms²: Isabela, Santa Cruz, Fernandina, San Salvador y San Cristóbal; 8 islas entre 14 y 170 kilómetros cuadrados: Santa María, Marchena, Española, Pinta, Baltra, Santa Fé, Pinzón, Bartolomé y Darwin: 42 islotes con menos de 1 Km² y 26 rocas.

Extensión

La superficie total del archipiélago es de 8.010 Km², con un mar territorial insular de 817.392 Km². Entre las islas Darwin al norte y Española al sur, la distancia es e 414 Km., y entre Punta Pitt (San Cristóbal) y Cabo Douglas (Fernandina) 268 Km. La isla mayor de superficie es la Isabela con 4.588 Km².

Población

La población de la provincia según el Censo de 1982, es de 8.399 habitantes, con una densidad de 1 habitante por Km.²

El clima

Varios son los factores moderadores del clima: la situación geográfica, las corrientes marinas, la formación geológica, los vientos, la altitud y, por último, el régimen pluvial y la temperatura, que es la resultante de la concurrencia de todos estos factores.

Los vientos predominantes son los del sureste, excepto en ciertos meses (enero hasta fines de mayo), en los cuales se producen las "calmas ecuatoriales", tan temidas por la navegación a vela, pues, las naves eran arrastradas por las corrientes, empleando "treinta a cuarenta días para hacer el recorrido de unas pocas horas", como consigna Wolf.

Ateniéndose a la altitud, Wolf distingue dos zonas climáticas bien marcadas: la seca, desde el nivel del mar hasta los 220 metros de altura y la alta y húmeda, en aquellas islas donde hay alturas superiores a los 220 metros.

Como consecuencia de lo anotado, la variación de temperatura entre la estación seca y ventosa (julio a septiembre) y la de lluvias (enero a abril) es de 22° a 25° para las costas y de 16° a 18° para las zonas altas.

Naturalmente, estas cifras son relativas, ya que la colaboración de la superficie tiene mucho que ver con la temperatura. Las playas de arenas blancas son frescas; en cambio, aquellas con lava oscura o negra pueden alcanzar temperaturas sobre los 50°.

En general, puede aplicarse la apreciación de Wolf: "Sería difícil encontrar en otra parte del mundo, bajo la línea equinoccial, un clima más mitigado, más sano y agradable".

◀ *Exhuberante vegetación natural de las Islas Galápagos.*

Descripción de las islas

Isabela (Albemarle)

Isabela, junto a Santiago (James) y Narborough (Fernandina) es una de las "islas calientes" del archipiélago de Galápagos. Estas tres islas constituyen una de las regiones volcánicas más activas del mundo.

Este infierno está instalado sobre una región paradisíaca, albergue de aves maravillosas, como: flamencos, garzas, gaviotas de lava y los piqueros de patas azules, entre otros alados sorprendentes. En los ríos de lava petrificada que cruzan las islas es posible adivinar la enorme fuerza telúrica que las conmovió, hasta hace poco y que sin duda volverá a desfogarse nuevamente sobre esa precaria tierra insular.

Isabela es la isla más grande del archipiélago: un área de 4.690 km², es decir, más de la mitad de la superficie de las otras islas. En dirección norte-sur, extiende sus 113 kilómetros de longitud sobre la transparencia del mar.

Está formada por seis volcanes en forma de escudos, unidos entre sí, cinco de ellos activos. El sexto, el volcán Ecuador, está erosionado y semidestruido. A la vuelta del cabo Berkeley se puede ver la mitad del cráter, invadido por el mar.

La mitad de la superficie de la Isabela, está compuesta por enormes campos estériles, cubiertos de lava; paisajes lunares, donde el fuego se ha petrificado y las altas temperaturas que el suelo acumula, recuerdan aún, las explosiones volcánicas.

Existen más de 2.500 conos volcánicos en la Isabela. Algunos de ellos llegan a 150 metros de altura y otros son aún más bajos.

El volcán Wolf, con una altura de 1.705 metros es el más alto de Galápagos y se encuentra en el extremo norte de la isla.

Desde 1911 han ocurrido por lo menos 13 erupciones: cinco de ellas en cerro Azul, tres en Sierra Negra y cinco en Volcán Wolf.

Isabela tiene dos centros poblados. La región de Santo Tomás y Puerto Villamil, un pequeño pueblo de pescadores situados en la costa sur, sobre una planicie de arena, entre el mar y los campos de lava.

Puerto Villamil, es el único sitio de anclaje en la costa sur de Isabela. La población de Santo Tomás se estableció en la vertiente sur del volcán Negra y existe allí una comunidad de agricultores que producen legumbres y frutas. Originalmente, Santo Tomás fue un sitio donde se cazaba tortugas, se criaba ganado y se cultivaba café.

*Manglares y residuos de lava en la Isla
Isabela.*

Un hermoso lago de la isla Isabela: Atrás la caleta de Tagus Cove.

La caleta Tagus, formada por los restos de un antiguo volcán, se encuentra al lado occidental del volcán Darwin, frente a la Isla Fernandina. Es un lugar de anclaje pequeño, profundo y seguro. Sitio de desembarco de los balleneros durante el siglo XIX, tiene grabados sobre la superficie suave de los acantilados los nombres de los marinos que llegaron a esta costa. Los marinos contemporáneos continuaron la costumbre escribiendo sus nombres con pintura blanca, y atentando así contra la belleza del lugar.

En la parte norte de la ensenada y separada de ésta por un borde de 60 metros de altura, se encuentra una laguna de agua salada casi circular. Al norte de Villamil, la costa azul de Isabela es una continuidad de playas de arena y conchas, cubiertas de una verdura engañosa que da una falsa impresión de fertilidad, pero la tierra es una superficie salobre y los varios lagos y esteros contienen agua salitrosa. Mangles rojos y negros y el mangle botón, rodean al Puerto Villamil.

A lo largo de la costa, que tiene lugares de anclaje peligroso y playas bañadas por un fuerte oleaje, la vegetación es una franja angosta que tapa los campos de lava que se encuentran atrás. Hacia el occidente, la lava lo cubre todo, excepto la Punta Esser, donde la vegetación crece hasta el borde de la playa, y se encuentra una zona de vegetación húmeda.

En el borde del volcán Azul crece apenas el opuntía, cacto que habita en las zonas más arrasadas de Galápagos.

Los patillos, las garzas, los flamencos y otras aves ribereñas se pueden encontrar en las aguas salitrosas cercanas a Villamil.

Hermoso manglar en las proximidades de Puerto Villamil.

Dividiendo a Isabela, casi por la mitad, está el istmo Perry. Desde Bahía Cartago, al este, va hacia Bahía Elizabeth, al oeste, atravesando una distancia de 10 Km. La bahía Cartago, tiene, como la costa sur de la isla, una franja de vegetación donde viven patillos y otros pájaros acuáticos.

La Bahía Elizabeth tiene hacia la parte interior dos islotes habitados por pingüinos. Hacia el itsmo, es una serie de canales y pantanos de mangle, el agua verdosa y turbia está poblada de tortugas marinas, lisas y róbalos.

Al norte del Itsmo Perry está el volcán Alcedo, cuyas estribaciones orientales son gigantescos campos de piedra pómez. Allí y en los volcanes: Azul, Wolf y Darwin, existe una población de tortugas gigantescas, las más grandes de Galápagos. En cada volcán hay una subespecie y se calcula que en total son alrededor de seis mil. En la costa, desde Punta Albemarle hasta Punta Moreno se encuentran los famosos cormoranes no voladores, aves que han perdido la capacidad de volar: tienen atrofiadas las alas debido a la inexistencia de peligros que les exijan mayores desplazamientos.

En las lagunas salitrosas de Punta Moreno habitan flamencos. Patos gallínulas, piqueros y focas de piel son otros de los habitantes de Isabela, y además, en toda la isla se encuentran colonias de: perros, gatos, ganado y burros salvajes.

"Nunca olvidaré el aspecto de este coloso volcánico que iba saliendo poco a poco de la azulada niebla hasta que finalmente emergió con toda claridad ante nuestra vista".

"Se eleva majestuoso a 1.600 mts. por encima del mar, pulverizándose el agua en blanca espuma contra los rompientes de lava. Ríos de lava sólida y negra se dibuja en sus flancos, como si hubieran vertido una caldera de alquitrán encima".

(Irenaus Eibl Eibesfelt).

Fernandina (Narborough)

Una belleza siniestra. Un desolador paisaje de cenizas. Así han descrito los viajeros a Fernandina: la isla es un volcán de 1.490 mts. de altura (el cálculo de Irenaus Eibl, es solamente aproximado) sobre el nivel del mar, y es de una caldera elíptica de cuatro por 5.6 Kms. de borde, con un fondo de 3.5 por 2.5 Kms. (7 Km² de superficie) con un lago al costado y un cono de palagonita al centro.

Existen numerosas fumarolas en el fondo y en las paredes y el borde de la caldera. Hasta los 300 mts. la isla tiene una pendiente suave, y entre los 300 y 1.000 mts., se hace muy pronunciada.

Las crónicas de los balleneros han reportado doce erupciones, la más violenta de ellas relatada por Benjamín Morell en 1825. El 14 de febrero a las doce de la noche, un estruendo sacudió el archipiélago, y un enorme resplandor encendió el paisaje.

"Ni siquiera el trueno del fin del mundo —cuenta Morell— habría despertado y congregado a mis hombres con mayor presteza en cubierta, donde quedaron pálidos de terror, mudos, sobrecogidos de asombro y pánico".

"El cielo parecía una ascua, cubierto de millones de estrellas fugaces y meteoros, mientras las llamas se elevaban al cielo más de 600 mts. por encima de la cresta Narborough. A las cuatro y media, el contenido de la imponente caldera había rebasado el borde y discurría ahora, en un río de fuego líquido por la ladera del volcán.

"Vimos entonces, como el río de lava fundida descendía por los flancos de la montaña y la rodeaba en zig zag hacia el mar sobre una distancia de aproximadamente 5 Kms., a partir de la garganta llameante de la montaña de fuego":

"La corriente de llamas bajaba por un canal de unos 100 metros de ancho y diríase que un ingente río de hierro fundido manaba de un horno. Aunque la montaña era pendiente, y el canal ancho, el río de llamas no podía descender con bastante rapidez y en ciertos lugares se desbordaba para formar nuevos riachuelos que se ramificaban en todas direcciones. Todos ellos, se precipitaban hacia abajo como si estuvieran ansiosas de enfriar su fuego en el profundo pozo de mar. El fragor de fuego parecía precipitarse en brazos de Neptuno, y el fragor que provocaba su encuentro era, realmente terrible. El océano bramaba, rugía y gemía como si se hubiera desencadenado una guerra en el abismo del infierno".

Morell, cuyo barco estaba anclado a 16 Kms. de la Fernandina, midió la temperatura, mientras las explosiones convertían el agua en una caldera hirviente a algunas millas alrededor. La temperatura del aire alcanzaba a 45° C (113° F) y la del agua a 39° C (100° F), elevándose horas más tarde a 50° C (123° F) la del aire y 41° C (105° F) la del agua. El alquitrán goteaba por la jarcia del barco y la brea, fundida por el calor, se escapaba de las junturas.

Vista de la isla Fernandina, rodeada por las tranquilas aguas del Océano Pacífico. ▶

Cráter de los Gemelos, en la Isla Santa Cruz.

La ausencia total de viento volvía la situación alarmante, y la erupción continuó rabiando todo el día. A las cuatro de la tarde la temperatura era de 51°, y la del agua de 40°...

A las 8 pm. de la noche, se levantó una levísima brisa. El navío se dirigió al sur por el estrecho que separa Fernandina de Isabela para llegar lo más pronto posible a barlovento de aquella. El navío tenía que atravesar más de seis Kms. de ríos de lava en llamas y deslizarse por un mar casi en ebullición.

La temperatura ya resultaba aterradora: 64° la del aire y 66° la del agua. Al día siguiente Morell divisó aún, desde 80 Kms. de distancia, las llamas de la Fernandina en medio de la noche.

Las violentas erupciones borraron casi toda la vegetación y la vida de la isla. Porque Fernandina ha erupcionado por lo menos diez veces desde 1813.

Desde 1946 el fondo de la caldera estaba cubierto por una gran laguna, hasta 1957, y actualmente, ésta cubre casi la mitad del fondo del cráter. En 1968 y en 1973 se registraron una serie de temblores que cambiaron la conformación del cráter y la posición de la laguna. Sin embargo, la más grande población de iguanas marinas se encuentra en esta isla, y los reptiles habitan todos los lugares agrestes del volcán.

Varias colonias de cormoranes no voladores y de pingüinos, se encuentran en las aguas que bañan las ensenadas de Cabo Douglas y Hamond, donde también son comunes las focas de piel.

Un círculo simétrico formado por los flujos de lava rodea la montaña central. El declive sur-occidental de Fernandina es una región húmeda. Allí la hierba crece alta y la vegetación es intensa. Los árboles de cacto opuntia se alan sobre los escombros cubiertos de líquenes. Los árboles y la tierra volcánica están cubiertos de maraña de helechos y liana.

A 1.200 mts. de altura, los líquenes son toda la vida vegetal que crece entre la lava. Otra franja de vegetación consistente en manchas de hierbas y matorrales de scalesia, se encuentra cerca del volcán; lo demás, es un gran campo de cenizas.

Punta Espinoza es una de las partes más hermosas de la isla. En la región noroccidental, rodeada de manglares, existe una ancha franja de lava y arena conchífera que es albergue de lobos marinos, iguanas marinas, pingüinos, cormonares y gavilanes. Al este del cabo Douglas existe una colonia de piqueros de patas azules. Desde cabo Douglas hay acceso al cráter central de Fernandina, pasando por una quebrada colmada de cenizas volcánicas, que llegan hasta la cumbre.

El sorprendente paisaje de las Islas Encantadas.

Santa Cruz (Indefatigable)

La isla Santa Cruz es una de las más pobladas del archipiélago y la más diversificada en su terreno y vegetación. La parte de formación geológica más reciente está cubierta de pequeños conos volcánicos de lava basáltica.

La parte más antigua de la isla es una faja angosta de 10 millas de largo en la costa nororiental, al norte de cerro Colorado, formado por flujos de lavas submarinas levantadas y entremezcladas con piedras que contienen fósiles. Esta faja marca un corte transversal de geología variada.

La planicie árida de la costa Sur de Santa Cruz está cubierta de enmarañados bosques de matorrales de crotón, árboles de palo santo, cactos opuntia y cereus, matazarno y cryptocarpus. A la medida que se sube, los árboles son más altos; los primeros que aparecen son los scalesia; Santa Cruz es la más fértil de las islas y está cultivada. Más arriba los matorrales de miconia, helechos y lugares pantanosos forman una barrera casi impenetrable para llegar a la pampa abierta de la cumbre. Los juncos y helechos conforman una vegetación paradisíaca alrededor de los volcanes.

Hacia el norte, Santa Cruz es desolada. Los declives y lugares menos altos están cubiertos de palo santo, árboles blancos y sin hojas, fantasmales entremezclados con matorrales bajos y cactos arbóreos. La línea de la costa está cubierta de manglares y rodeada de playas arenosas.

El servicio del Parque Nacional y la Estación Charles Darwin han delimitado en la parte sur-occidental de Santa Cruz, una zona reservada para la vida silvestre. Esta reserva incluye una gran franja de tierra que va desde la costa hasta donde comienza el área de cultivo.

A pesar de que existen más de 1.500 tortugas alrededor de la reserva, no son muy accesibles a los visitantes, ya que estos reptiles tienen la costumbre de vivir en lugares obscuros.

En la reserva se mantiene una pequeña casa utilizada por los guardianes del Parque. Los visitantes deben utilizar su propio equipo de campaña y deben solicitar permiso en las Oficinas del Parque Nacional en Puerto Ayora para acampar en la reserva. Cerca de la Estación Darwin, en Puerto Ayora, existen galápagos en cautiverio que son visitados también por los turistas.

Conway —una ensenada protegida que se encuentra en la playa nor-occidental— tiene buen desembarcadero y allí vive una colonia de iguanas marinas. Fuera de bahía Conway, en la isla Edén, se puede ver los lobos marinos. La vegetación relativamente densa, ayuda a mantener la activa vida de los pájaros en esta isla.

En Santa Cruz existen ocho de las trece especies de pinzones de Darwin y los Pata Pegada, se albergan en la zona húmeda. Excepto el cormoran no volador y cinco especies de pinzones, casi todas las especies de aves de Galápagos existen en Santa Cruz.

Entre las dos guerras mundiales, la isla fue colonizada; en Santa Rosa y Bellavista se introdujeron plantas y animales exóticos, y abundan: ganado vacuno, caballos, cerdos, gallinas, cabras, burros, gatos, ratas y ratones. Los cerdos y cabras, pronto se volvieron salvajes formando poblaciones que impactaron fuertemente sobre cierto número de poblaciones endémicas.

Santa Cruz: hermoso ejemplar de chivo salvaje en una finca de Cerro Mesa.

Las poblaciones de Bellavista, Santa Rosa y Puerto Ayora han crecido considerablemente en los últimos años. En Puerto Ayora se comercializan los productos de la parte alta de la isla. Puerto Ayora es el principal centro de comercio y turismo de Galápagos; de allí, salen y regresan las embarcaciones que recorren el archipiélago y por ese puerto se comunica el archipiélago con el continente.

La Estación Biológica Charles Darwin está situada en la orilla de Bahía Academy, al Este de Puerto Ayora, y la sede del Servicio del Parque Nacional se encuentra muy cerca de la Estación. Al lado oeste de la bahía existe una colonia de inmigrantes europeos, en su mayoría alemanes, que viven en la isla desde los años 30.

Islas Plaza

En la costa oriental de Santa Cruz, a pocos centenares de metros de distancia de cerro Colorado se encuentran las islas Plaza Norte y Sur: ambas son planas, de suave declive, formadas por bloques de lava levantados desde el mar.

La más interesante es Plaza Sur, cubierta completamente de cactos opuntia y poblada de alrededor de 120 iguanas de tierra que viven en madrigueras cavadas en el suelo. El sesuvium forma una alfombra roja que cubre la parte oriental de la isla, mientras al lado occidental, que se eleva casi como una pared detrás de la cual están los acantilados, está cubierto de cactos y arbustos enmarañados.

En la costa septentrional de la isla, numerosos lobos marinos retozan alegremente y se dejan tomar fotos por los turistas.

Las rocas negras de la playa están salpicadas de cangrejos. Esta playa es lugar de crianza de los lobos marinos. En los arrecifes del norte anidan las gaviotas de cola bifurcada, golondrinas de mar, pufinos y unos pocos pilotos. En las islas Plaza residen tres tipos de pinzones.

Baltra y Seymur

Al norte de Santa Cruz está la isla Baltra, y al norte de ésta, Seymur. Son dos bloques desprendidos de roca basáltica y calizas se han levantado del fondo del mar.

Baltra está formada de dos mesetas, la más grande de ellas al sur. En el oriente, norte y sur de la isla se alzan abruptamente altos arrecifes. La isla tiene un declive gradual de este a oeste. En la costa existen algunos sitios de desembarco donde la costa baja y rocosa alterna con playas de arena conchífera.

El mejor fondeadero está en la caleta Aeolian, donde existen un muelle construído durante la guerra y es utilizado por la Marina Ecuatoriana y los botes del archipiélago. Desde el muelle hay un camino asfaltado en medio del desierto, que comunica con las dos pistas de aterrizaje que se encuentran en la meseta sur y con el aeropuerto. Seymur es similar a Baltra, aunque está cubierta de una vegetación más densa.

Santiago (James)

James es la isla de los piratas y de los osos marinos. Detrás de la costa se extiende una planicie poblada de acacias y yerba seca. Al fondo ocupan su trono simétrico dos volcanes de color pardo rojizo.

La bahía de James es una de las más bellas del archipiélago; de una belleza salvaje y casi sombría; es un testimonio de la fuerza indomable de los volcanes.

Las explosiones han agrietado toda la ladera a media altura, y desde numerosos cráteres se ha vertido la oscura lava; un río de fuego que deslizó hacia el mar atravesando kilómetros y kilómetros. La parte central de la bahía es un enorme desierto de lava, en el que apenas crecen algunos cactos. Ese río negro se destaca vivamente contra el verde de los helechos. En el borde derecho, el más meridional, se alza un pequeño volcán de forma irregular y cenizas de color pardo rojizo.

Pequeño cráter volcánico de la isla Santiago.

Islas Daphne

Al norte de Santa Cruz y al oeste de Baltra están Daphne y Daphne Menor, de las cuales esta última es la más antigua. Un muñón casi cilíndrico rodeado de precipicios es lo que ha quedado después de siglos de erosión. Una depresión poco profunda, cubierta de palo santo, indica el lugar del cráter.

El cono volcánico desciende suavemente hacia el mar por arrecifes costeros de menos de 15 metros de altura.

En Daphne anida una gran cantidad de pájaros. Los agujeros diseminados en los escalonados flancos del volcán sirven de refugio a los pilotos pico rojo, y a los piqueros enmascarados que anidan allí y al borde del cráter. En el piso plano del cráter, de color blanco, se encuentran cientos de piqueros patas azules, lo cual es un espectáculo digno de verse. En los arrecifes se puede ver también al martín de Galápagos y gaviotines cabeza blanca.

La parte sur de la bahía es diferente; allí el mar ha labrado en la arenisca una costa escarpada de diez a quince metros de altura y como el material no ofrecía en todos los lugares la misma resistencia, surgieron cavidades y cuevas de forma sorprendente. La estructura estratificada de la piedra puede observarse perfectamente en las bandas onduladas de la arenisca.

Turistas en una isla del Archipiélago de Colón.

Situada al noroeste de Santa Cruz, su volcán mayor se eleva a 906 mts. de altura. Un grupo de conos más jóvenes cubre el resto de la isla. Durante el siglo pasado, fueron registradas varias erupciones de sus diversos cráteres. Los flujos de lava se han conservado casi intactos y es uno de los paisajes más sorprendentes del mundo. Santiago tiene una vegetación densa en las partes altas, que contrasta con la violencia contenida en la lava petrificada. Junto a la costa se ven antiguas construcciones abandonadas y una carretera construida por la compañía que explota sal.

Una gran población de plumados habita la isla: pájaros brujos, palomas de Galápagos, gavilanes, cucubes y aves ribereñas como los arenarios, playero común, pollito blanco de mar, agachizadas y osteros. En la otra orilla del sur de la bahía, hay una pequeña colonia de focas de piel.

Una nefasta colonia de burros y cabras salvajes, cuya caza está permitida, han asolado la belleza vegetal de la isla.

Al extremo norte de bahía James, sobre la extensa playa Espumilla, se encuentran las salinas habitadas por los flamencos y los patos. Al norte de la bahía se encuentra la caleta Bucanero, lugar preferido por los piratas durante el siglo XVIII. Allí se han encontrado jarrones y deshechos que abandonaron los corsarios que en ella se refugiaron.

En este lugar abundan los gavilanes de Galápagos, y aún existe la laguna de agua dulce que hacía de James un lugar de destino después de largos y azarosos viajes.

Uno de los paisajes más alucinantes de Galápagos es bahía Sullivan en Santiago. Miles de conos volcánicos dan la impresión de estar recién enfriándose. Un camino cruzado de troncos lleva a los turistas hasta estos conos que parecen volcanes de juguete. Pasando por el rojo y el blanco, varían de color hasta el café oscuro y el negro. Dentro de la bahía hay dos hermosas playas circulares de arena blanca, y detrás de ella, surgen los verdes manglares resplandecientes.

Cangrejo de Galápagos.

Frente a la orilla oriental de la bahía Sullivan está Bartolomé. En su extremo occidental hay un itsmo rodeado de hermosas playas de arena blanca, separadas entre sí por los manglares. En la costa hay muchos lobos marinos, al sur de la bahía Sullivan y cerca de un cono volcánico llamado Sombrero Chino, están las rocas de Bainbridge, la más extensa de éstas, que también tienen un cono erosionado, y una laguna que alberga flamencos.

Rábida (Jervis)

La Rábida es una isla central, al sur de Santiago. Su diámetro no pasa de dos kilómetros y medio, y tiene un grupo de rocas volcánicas mucho más diversificado que cualquier otra isla del archipiélago. Rábida es muy alta en relación a su pequeño diámetro. Desde su cúpula de 367 mts. se ven arroyos de lava que se han derramado desde el noroeste hacia la costa.

Rábida es como un racimo de laderas escarpadas, colinas y torrentes de lava que forman grandes bloques truncados.

A excepción de una pequeña ensenada donde se puede desembarcar, la costa está rodeada de arrecifes. La ensenada tiene playas de arena roja y detrás de ésta, hay una hermosa laguna donde se pasean los flamencos; en sus cercanías anidan alcatraces, piqueros enmascarados y de patas azules, teros reales y palomas que pueden verse en las afueras de los arrecifes orientales, mientras que los lobos marinos frecuentan la playa de arena roja. En Rábida hay nueve especies de pinzones de Darwin.

Cactos gigantes, figuras típicas del paisaje isleño.

Iguana de mar.

Pinzón (Duncan)

La isla Pinzón, al oeste de Santa Cruz, es similar a Rábida, pero más pequeña y tiene mayor variedad de rocas igneas, por lo que resulta de enorme interés para los geólogos. La cumbre se eleva a 458 mts. y la mayor parte del volcán se ha roto, en parte por las fallas volcánicas en los lados de la isla. Tierra insular de piedras y lava, está densamente cubierta de grandes pedruzcos provenientes de la corteza de flujos más recientes de lava. A lo largo de la costa occidental hay peñascos que alcanzan alturas de más de 140 mts. Casi toda la isla está circundada de acantilados y es de difícil acceso.

Cubierta por una vegetación baja y apretada de chalas y malezas espinosas, es difícil atravesar la isla a pie. Cerca del viejo cráter sobrevive una familia de galápagos. Abundan los pinzones y gavilanes, las lagartijas de lava y las culebras. En la costa puede verse lobos marinos y focas de piel.

Isla Santa María (Floreana)

La Floreana es una isla con historia: allí vivieron los Ritter y los Witmer y la legendaria baronesa que soñaba con ser "emperatríz" de Galápagos.

Floreana tiene colinas de suave declive que se elevan a 640 mts. y están cubiertas de pequeños conos volcánicos. El cono más visible de Floreana es el cerro Pajas, al sur de la bahía Post Office. El cerro Pajas está conformado por lava arenosa y cascajo, bloques de lava densa y rocas angulares.

El rico suelo volcánico nutritivo y las esporádicas lluvias han hecho crecer una hermosa vegetación en las partes más altas de la isla. Al lado occidental de ésta, las corrientes de lava se alteran en el paisaje con fantasmales bosques de palo santo.

Black Beach (Playa Prieta) es una playa de arena que se encuentra al occidente. A 300 mts. crecen, en algunas fincas, más de 50 variedades de árboles frutales, arbustos, plantas trepadoras y otras.

La caleta de Las Cuevas, en la costa nororiental, tiene una buena playa de desembarco y fondeadero bastante protegido. Cuevas y formaciones rocosas en los peñascos conforman un paisaje de abrupta belleza. Muy cerca está la Punta Cormorán y directamente al norte está el islote Onslow, conocido como La Corona del Diablo; un cono volcánico erosionado y sumergido donde anidan los pilotos, pufinos y gaviotines de cabeza blanca. En el lado occidental de la Punta Cormorán se encuentra una playa de color verde, causado por la presencia de cristales de olivino. Detrás de la playa cubierta de manglares hay, como en otras islas, una laguna con flamencos. En la bahía Post Office, hay algunas colonias de lobos marinos.

Actualmente, Bahía Post Office sigue siendo un eventual correo utilizado por los barcos que pasan por Galápagos.

San Cristóbal (Chatham)

En la isla de San Cristóbal, en Bahía Wreck, está la capital política administrativa de Galápagos: Puerto Baquerizo Moreno. Esta parte de la isla está cubierta por una densa vegetación; varias hileras de casas están frente al mar, separadas de éste por las playas amarillas y de lava negra. A 8 Kms. de Santa Cruz, está la población de El Progreso, fundada en 1888 por Manuel Cobos.

En la parte occidental existe un volcán de 700 mts. de altura con algunos conos pequeños en sus flancos. En la región nororiental las elevaciones no llegan a 150 metros y las formaciones de lava y yermos conos de toba se proyectan hacia el cielo. Las laderas del norte, que bajan hasta el mar, tienen un aspecto desnudo y desolado.

Al este de Bahía Wreck, frente a la Bahía Stephen, está la roca Ricker, conocida con el nombre de "El León Dormido", un imponente peñasco de rocas partidas, que se eleva hasta los 148 metros. Allí anidan: fragatas, piqueros enmascarados y patas azules. Hacia el este, a lo largo de la costa, se extienden hermosas playas de arena blanca de conchas.

La Punta Pitt marca el extremo oriental de la isla, y cerca de ella hay un islote de lava basáltica mezclada, donde anidan: fragatas, gaviotas de cola bifurcada, piqueros enmascarados, patas rojas y centenares de golondrinas.

Un grupo de galápagos sobrevive en la parte este de San Cristóbal, donde hay una población de perros salvajes que han alterado la ecología de la isla comiéndose los huevos de los reptiles y tortugas pequeñas. Las cabras y burros, por su parte, destruyen la vegetación.

Jardín natural crecido en el suelo volcánico de Galápagos.

Española (Hood)

En el extremo sur del archipiélago de Galápagos se encuentra Hood, una isla calcinada por el sol cuyo cerro más alto se eleva a 200 metros sobre el nivel del mar.

La isla entera mide sólo 14 Kms. de longitud y 6 de anchura, y es una árida estepa con lagos y riachuelos temporales. Lo único que subsiste son los cactos y el desolado palo santo. Con un paisaje tan poco atrayente, esta isla encierra algunos tesoros zoológicos. La más abigarrada de todas, la iguana marina, que toma el sol en sus rocas. Una peculiar especie de tortuga, con un maravilloso caparazón en forma de silla de montar, y los lagartos, serpientes, pinzones y mirlos burlones, difieren claramente de las demás especies insulares del archipiélago. Pero el tesoro más precioso de las islas es el albatros de Galápagos, que sólo incuba aquí. Planea horas y horas sobre la isla, batiendo muy de vez en cuando las alas.

Las cabras silvestres han causado muchos daños a la vegetación, ahora representada sólo por cactos, palo santo y muchos árboles espinosos de acacia.

La Punta Suárez, en el extremo occidental de la Española, tiene una playa de desembarco donde los visitantes son recibidos por los lobos marinos.

Española: punta Suárez. ▶

Arrecife en la isla Española.

Santa Fe (Barrington)

La costa de Santa Fe se caracteriza por sus grandes acantilados. Está constituida por un grupo de bloques planos e inclinados, formados principalmente, de lava basáltica que se ha levantado desde el mar. Uno de los picos de la isla tiene más de 240 metros de altura.

Recientemente, se ha observado actividad en las fumarolas de Santa Fe, pero las principales formaciones son causadas por la erosión. La vegetación la constituyen cactos y palo santo, además de hierbas y arbustos espinosos.

A pesar de su inshospitalario aspecto, Santa Fe tiene un pintoresco fondeadero en una ensenada, en la punta nororiental de la isla, donde un islote de cactos guarda la entrada. Los pájaros son la principal población de la isla: canarios, varias especies de pinzones terrestres, cucubes, garzas, gaviotines, cabeza blanca, fragatas y alcatraces. Como en la mayoría de las islas, en Santa Fe hay lobos e iguanas marinas. En las aguas de la ensenada se ven tortugas marinas, diversas clases de peces, mantas y tiburones blancos.

En Santa Fe existe una especie de iguana marina que se encuentra en toda la isla. Entre los numerosos pedruzcos de lava, que forman pequeñas hendiduras y cavernas se esconden las lagartijas. También se encuentran en Santa Fe los gavilanes de Galápagos, palomas y lechuzas de campo.

La isla Santa Fé o Barrington vista desde el mar.

Genovesa (Tower)

La más nororiental de las islas es Genovesa: la cúspide de un volcán cuya boca principal es el centro de la isla. Una caldera circular de 61 metros de profundidad, con una laguna en el fondo. Desde la caldera de los flancos descienden directamente hacia los acantilados de la costa. La isla es relativamente plana, alcanza una altura de 64 metros sobre el nivel del mar.

La Genovesa es árida, la mayor parte de sus declives están cubiertos de palo santo, árboles achaparrados, cactos y matorrales. Al lado sur de la bahía Darwin, descubierta en 1923 por William Beebe, una bahía casi circular, de alrededor de un kilómetro y medio de largo. Al sur, una apertura relativamente estrecha, conduce hacia el mar.

En los peñascos de la bahía Darwin, se crían lobos marinos y focas de piel, y pueden verse pequeñas iguanas. Al sureste hay millares de golondrinas de Galápagos y de Madeira, muchas gaviotas de cola bifurcada, pufinos, pilotos de pico rojo y gaviotines cabeza blanca. En la parte superior de la bahía Darwin, yendo hacia el norte, se encuentra colonias de piqueros enmascarados de patas rojas y muchas fragatas y gaviotas de lava. En toda la isla hay cucubes, palomas de Galápagos, cuatro especies de pinzones que anidan entre los árboles.

Los altos farallones de la Isla Genovesa contrastan con las tranquilas aguas del Pacífico.

Pinta (Abigdon)

Sus altos y abruptos acantilados se elevan hasta una altura de 400 metros y son un espectáculo sobrecogedor desde el océano. Una zona paralela, tierra adentro, separa a la antigua zona de los acantilados de un volcán mucho más reciente, escasamente modificado por la erosión, que tiene 778 metros de altura. Un coloso dormido del cual se ha reportado actividad volcánica en los siglos anteriores.

En la parte occidental y más antigua, hay un viejo volcán hundido a medias en el mar. Una playa de arena negra situada al oeste del cabo Ibbetson permite fondear y desfondear. En la costa la tierra es árida, apenas cubierta de ralos arbustos, y en la parte alta se encuentra una exhuberante vegetación. Sin embargo, una colonia de cabras salvajes ha causado graves daños a la flora y fauna de la isla. El galápago de Pinta está en extinción, y de acuerdo a un registro hecho en 1971, sólo existe en la isla un sobreviviente. Pero en el interior de la isla puede verse cucubes, pinzones y gavilanes de Galápagos.

Marchena (Bindloe)

Al oeste de Genovesa se encuentra la desolada isla Marchena, cumbre de un gran volcán en forma de escudo, integrado por un grupo de conos volcánicos y de enormes flujos de lava que han sepultado la caldera de la cumbre y las laderas del volcán primitivo. No se sabe si en los últimos tiempos ha habido actividad volcánica en Marchena, pero alrededor del borde de la caldera hay fumarolas en actividad que emiten gases calientes y vapor de agua. La mayoría de las corrientes de lava han dejado caminos planos y casi regulares, pero también existen zonas muy abruptas, tan escabrosas e inestable que es imposible transitar por ellas.

El desembarcadero usual en Marchena es una playa larga y ancha, de arena negra situada en el lado suroccidental de la isla. La vegetación típica de Marchena es una enmarañada vegetación de monte bajo y los bosques de palo santo.

En las playas viven en comunidad: lobos marinos, iguanas marinas y cangrejos rojos (zayapas). Las playas están cubiertas por una variedad asombrosa de conchas marinas, cucubes, alcatraces y ostreros son las aves de la costa. Al interior hay cucubes y pinzones, además de una pequeña población de cabras introducida allí en los años 60.

El aspecto de la isla es triste: al mediodía parece una gigantesca olla, especialmente en el interior de las calderas donde no sopla ni la más breve brisa. En Marchena existen todos los tipos de lava: escoria, fraguas, ampollas y chimeneas, y según los visitantes bien podría ser el taller del dios Vulcano...

Islas Darwin y Wolf (Culpepper y Wenman)

Darwin y Wolf están separadas entre sí por una distancia de 30 kilómetros y 100 de las otras islas. Son las más septentrionales del archipiélago, con cúspides erosionadas de dos inmensos volcanes de más de 2.000 mts. desde el fondo del océano.

A 169 mts. de altura, la cumbre de Darwin es plana, y en todos sus lados se elevan acantilados verticales de 100 a 200 mts. de altura sobre el nivel del mar. Hasta 1964 nunca la cumbre de Darwin había sido hollada por pies humanos, cuando una expedición descendió en helicópteros y fotografiaron los bloques negros de lava basáltica cubiertos de humus de la cumbre.

Artesanía naval en el Archipiélago.

La isla Wolf, como Darwin, tiene peñascos sobrecogedores que alzan a casi 230 mts. desde las aguas. La altura de la isla llega hasta los 253 mts. y muy pocas personas han podido desembarcar en su escarpada costa, ni mucho menos trepar las crestas que conducen a la meseta superior.

Tres islotes formados por bloques y corrientes de lava parecen los satélites de un planeta abandonado. A pesar de todo, Darwin alberga una de las más populosas colonias de pájaros marinos del archipiélago. Las fragatas comunes viven en los matorrales de lo alto de la meseta. Las mismas fragatas comunes, piqueros enmascarados, piqueros de alas rojas, gaviotas de cola bifurcada y pájaros tropicales anidan en los peñascos verticales sobre el mar. Darwin es el único lugar de Galápagos donde se crían gaviotines que anidan debajo de las chalas.

Al norte de Wolf, en una extensión plana, crece una vegetación de chaparros, chalas y cactos de espinos blandos. Ese es el habitat de las fragatas reales y comunes, de los piqueros enmascarados y los de patas rojas; hacia el sur, un paisaje único confirma la singular belleza de Galápagos: los matorrales, tanto los vivos como los que han muerto, están profusamente cubiertos por líquenes anaranjados, verdes, grises y blancos. Este es el lugar de residencia del pinzón de tierra pico agudo, llamado "chupador de sangre".

"Viendo cada elevación coronada con su cráter, y las densidades de la mayoría de los flujos de lava todavía claros, estamos obligados a creer que en un período geológico reciente, el inviolado océano, fue apartado de aquí; pareciendo ser transportados, en tiempo-espacio al gran hecho, el misterio de misterios, la aparición de los primeros seres en la tierra".

(Charles Darwin)

Geología de las islas

Tal parece que, hace cinco o más millones de años, a mil kilómetros del continente, frente a la costa ecuatoriana, el Océano Pacífico comenzó a hervir.

La corteza terrestre se abrió y votaron toneladas de lava y cenizas que se fueron acumulando en el fondo del mar. Los volcanes siguieron estallando hasta levantar sus cimas fuera del mar.

Pasaron millones de años hasta que esa superficie rocosa, hecha de lava basáltica y roca piroplástica pudiera albergar viva. Los vientos, las corrientes fluviales y marinas, la dispersión de semillas, plantas y hasta grandes masas vegetales, las migraciones de las aves y de algunos cetáceos fueron conformando la fauna y flora de las islas.

En cada una de ellas, el nuevo clima fue formando una atmósfera propia, un particular universo de seres cuyos específicos procesos de evolución constituyen uno de los objetos más apasionantes de estudio para los científicos de todo el mundo. Con las sucesivas erupciones volcánicas, las islas siguieron creciendo, en un proceso que aún continúa. Se trata de un mundo en formación, donde subsisten en distintas etapas de desarrollo, animales que en los continentes han desaparecdo hace milenios, como las tortugas gigantes y las iguanas terrestres y marinas.

Galápagos es uno de los veinte puntos calientes de la tierra, donde se manifiesta la actividad ignea del planeta. En esos lugares la actividad volcánica es constante. Las islas Hawai e Islandia se encuentran en dos de esos puntos.

El archipiélago está compuesto por trece islas principales y decenas de islotes y rocas. Las islas están situadas sobre una plataforma submarina relativamente poco profunda. El mar en torno a esta plataforma tiene una profundidad superior a los 3.000 metros, mientras que las aguas situadas sobre la plataforma misma son, por lo general, de menos de 1.000 metros de profundidad y de alrededor de 200 metros en casi la totalidad del área entre San Cristóbal y Fernandina.

El eje de la plataforma del archipiélago se sitúa de este a oeste y está conectado a la cordillera Carnegie, que va hacia el este hasta las costas del Ecuador continental. Al norte, con rumbo noreste, está la cordillera submarina Cocos, que llega casi hasta Centro América.

Esta conexión con las cordilleras submarinas ha dado pie a Gerge Baur para afirmar que: "La prueba geológica correcta para las islas Galápagos no puede darse, pero la distribución armónica de fauna y flora puede explicarse sólo por su origen continental. La conexión debe haber sido con América Central y las Indias Occidentales, a través de las islas Cocos. No existen dificultades geológicas puesto que sabemos que las islas Fiji, rodeadas de mar más profundo, son continentales".

Altos acantilados en la isla Plaza. ▶

"Estas islas ofrecen uno de los ejemplos más hermosos de una formación exclusivamente volcánica. No se han formado por el desplazamiento de un terreno más extenso, ni por separación del continente sudamericano, ni por el levantamiento del fondo marino, sino simplemente por acumulación sucesiva de materiales eruptivos o sea por erupciones volcánicas, que al principio eran submarinas y más tarde se efectuaron encima del nivel del mar".

Teodoro Wolf

Considerando que para la solución del interrogante acerca del origen de las islas, la utilización de la zoogeografía es determinante, Gunter apoya esta teoría diciendo que "Las Galápagos deben considerarse como remanentes de una conexión terrestre con el continente en el Mioceno, a la que correspondió probablemente, también, el archipiélago de Indias Occidentales".

El más solvente de los sostenedores de lo contrario y más probable, es Charles Darwin. Según el científico inglés, para quien el estudio del archipiélago resultó determinante en su teoría de la evolución, las islas son oceánicas, y la vida vegetal y animal procede de antecesores continentales arrastrados e inmigrados hasta allí.

Están constituidas por dos unidades geológicas: una, las lavas submarinas levantadas de la plataforma basáltica, y la otra, los volcanes terrestres jóvenes construidos por basaltos y materiales piroclásticos. Las islas más antiguas son: Española, Santa Fe, Baltra, Seymur y la parte nororiental de Santa Cruz. Las de formación geológica más reciente son: la Isabela, la mayor parte de Santa Cruz, Fernandina, Santiago, San Cristóbal, Marchena, Floreana y Pinta.

La edad de las islas se ha calculado a través de pruebas radioactivas sobre las rocas. Las más antiguas, de cinco o más millones de años, son muy recientes comparadas con la edad de la tierra, que es por lo menos de 4.5 billones de años.

Los basaltos de derrames submarinos de la isla Baltra, por ejemplo, y de la costa nororiental de Santa Cruz se calcula que es de 1.370.000 y 1.470.000 años respectivamente, en cambio la edad de los basaltos de los volcanes terrestres es de 300.000 años por lo menos.

Dos son los materiales que conforman las islas: la lava basáltica y la roca piroclástica. La lava se ha formado por el enfriamiento y cristalización del magma, (el material de roca fundida) que emergió sobre la superficie del mar, y la roca piroclástica se formó durante las violentas erupciones volcánicas, que arrojaron material sólido y fundido por los cráteres y que se acumularon sobre la superficie insular.

La lava basáltica es una roca maciza gris o negra de fina estructura. En algunas muestras se pueden ver cristales más grandes, de color verde pálido. Las rocas piroclásticas van del negro al café obscuro y se encuentran divididas en capas. Cuando se ven expuestas a la intemperie, se vuelven de un color rojo ladrillo.

En relación a la mayoría de otras rocas, las basálticas son ricas en hierro y magnesio, y es esta composición química la causa de su color obscuro. Se piensa que el magma basáltico se forma dentro de la tierra, alrededor de cien kilómetros de profundidad.

La composición de la superficie de muchos de los flujos de lava en las islas, no han sido mayormente alterados por la erosión, son muy recientes para haberse alterado y además están preservados por el clima seco de la región.

Los derrames submarinos son casi horizontales y los que sucesivamente han salido de las calderas de los volcanes han generado formaciones volcánicas con flancos muy suaves, generalmente, con declives no mayores de 10°, que semejan escudos de guerreros y de allí el nombre de "volcanes de escudo" que reciben.

La actividad geológica actual de las islas es intensa; estas son conmovidas regularmente por temblores y las erupciones son más frecuentes que en cualquier otro lugar del planeta. El derrumbe de la caldera de Fernandina, en 1968, fue uno de los casos más espectaculares de este tipo que se haya registrado en la historia.

Las corrientes marinas

El Archipiélago de Colón se halla ubicado justamente en el lugar por el cual pasan dos de las corrientes marinas del Pacífico: la de Humbolt y la denominada del Niño. La primera de las nombradas nace en el sur de Chile "la cual lleva un rico caudal de substancias nutritivas. Un viento boreal provoca remolinos y desviaciones en el lado de la corriente que da a la costa, lo cual produce brotes ascendentes de agua saturada de fosfatos y otros minerales fertilizantes que a su vez crean una de las fuentes de riqueza marina mayores del mundo". (El Mar, Colección de la Naturaleza, de Life, 1961; págs. 78-79).

Esta corriente fría sube a lo largo de la costa del Perú y al llegar a Cabo Blanco se divide en dos partes: la marítima, que toma dirección oeste, y la otra, el ramal costanero, sigue la costa ecuatoriana hasta la altura del Golfo de Guayaquil, y también tuerce hacia el oeste.

Puerto Ayora, cabecera cantonal de Santa Cruz.

Yates de turismo por los canales de las islas.

El ramal marino, que podríamos denominarlo peruano, pasa tangencialmente por el archipiélago, forma la corriente subecuatorial del sur, la misma que describe un amplio círculo, atraviesa la Polinesia y tomando rumbo sur vuelve al Antártico. Esta corriente, aunque en su nacimiento es fría, debido a la acción de los rayos solares en su largo recorrido, se torna "cálida", especialmente una parte de ella, la que toma rumbo sur.

El ramal costanero, o ecuatoriano, pasa por los Galápagos, influye en el clima, flora y fauna de las islas, y continúa al oeste hasta los 160° longitud occidental, en donde se disuelve en los mares cálidos que bañan la Melanesia.

La otra corriente que mencionamos es la del Niño. Esta parece originarse en la Contracorriente Ecuatorial que muere en la fosa Ecuador-Galápagos-Costa Rica, en donde se ha detectado la formación de un gran remolino

*Naves de servicio turístico ancladas
frente a Puerto Baquerizo.*

que causó no pequeños problemas a los navegantes de la colonia, los cuales salían rumbo sur y muchas veces, después de varios días de navegación, regresaban al punto de partida.

En todo caso, por hacerse sentir con mayor intensidad durante los meses del invierno costeño (diciembre-mayo) se le ha denominado del Niño. Su incidencia en la de Humbolt es tal que produce un desplazamiento sur en el curso de ella en los meses de diciembre a abril, variando la temperatura y produciendo en vez de lloviznas copiosas lluvias. (Juan Black. Galápagos, Archipiélagos del Ecuador).

Así pues, las corrientes marinas constituyen uno de los determinantes del clima de las islas, el cual debería ser ardiente y húmedo por hallarse en la zona ecuatorial. La acción de las grandes masas de agua en el clima es notoria y la corriente fría de Humbolt resulta ser un elemento refrigerante que contribuye al cambio de precipitación atmosférica.

Evolución biológica

La evolución de la biología de las islas es marcadamente diferente a la que se ha producido en el continente. La presencia insólita, casi poética de girasoles que se han convertido en árboles, gaviotas que buscan alimento en la noche, iguanas que se alimentan de algas marinas bajo la superficie del mar, tortugas que crecen hasta adquirir gigantescas proporciones (o que no redujeron sus proporciones a través de los siglos) y cormoranes que han perdido la capacidad de volar, ha proporcionado datos vitales, para comprender los procesos de evolución que han sufrido las especies vegetales y animales a lo largo de la historia natural del mundo.

Las plantas y animales de Galápagos tienen su origen en las especies americanas. Muchas semillas llegaron a los remotos archipiélagos llevadas por el viento, o navegando sobre masas de vegetación, o transportadas en los vuelos migratorios de los pájaros.

Los únicos mamíferos terrestres nativos de las islas son dos especies de murciélago y varias especies de ratas, lo cual es otra prueba de que Galápagos no tuvo un origen continental, ya que en tal caso la población de mamíferos no hubiera sido tan reducida. La selección natural ha asegurado la sobrevivencia de los seres con mejores posibilidades de adaptación al ambiente insular, y en ese proceso, aislado del continente, la población llegó a ser considerablemente diferente de sus antepasados insulares.

La nueva alimentación, la inexistencia de rapaces terrestres y un clima que hace innecesaria la migración, explican la capacidad de dispersión del cormoran que ya no vuela. En otros casos la colonización se hace menos especializada y puede aumentar su alcance; por ejemplo, el pájaro "canario" (Dendroica petechia) es menos especializado que su antecesor continental y ocupa una extensión más amplia.

Manglares de la isla Isabela.

Cuando dos o más especies compiten por el espacio y la alimentación y una de ellas se encuentra en mejor capacidad de competir, puede obligar a la especie rival a abandonar el terreno.

La diversificación de los vegetales se ha multiplicado transportando semillas o esporas de una isla a otra, originando especies enteramente nuevas, donde el proceso de evolución se ha repetido totalmente y se ha completado un nuevo ciclo de especialización.

Este mismo proceso ocurre con los animales cuando algunos de los miembros de una familia ocupan un sitio aislado. En el caso de los pinzones de Darwin, cada especie de las que venían del continente se desarrolló aisladamente en diversas moradas o habitantes y se conformaron de una manera diferente de acuerdo a las exigencias del medio.

Flora

El clima es un factor determinante de la flora del archipiélago. Sin lugar a dudas, tanto la flora como la fauna de las islas no son originarias de ellas, sino que fueron transportadas del continente americano. Fácil es deducir que algunos de estos ejemplares vinieron enredados en raíces, sobre troncos y otros deshechos tropicales que muchas veces, en forma de islas flotantes, son acarreadas por las crecientes que producen las tormentas, en ríos tales como el Guayas, de origen netamente tropical. No olvidemos que

La sorprendente flora de Galápagos.

Cactus en flor.

este río vierte sus aguas justamente donde el ramal ecuatoriano de la corriente de Humbolt, toma dirección oeste, es decir, hacia Galápagos.

He ahí un vehículo, el más probable, para el transporte tanto de semillas como de cierto tipo de animales o de insectos, aunque de ninguna manera debe descartarse el transporte efectuado por el viento y las aves.

No obstante, esta clara explicación del origen de la flora y fauna galapaguense, algunos autores han hecho notar una diferencia entre ésta y la forma ancestral. Esta característica se la podría llamar "adaptación al medio ambiente", tanto de las especies botánicas como de las zoológicas, como bien lo demostró Darwin.

La incidencia de los varios factores brevemente analizados al hablar del clima, han influido innegablemente en las especies transportadas por uno u otro medio y así han adquirido ese carácter tan propio que han hecho de Galápagos un laboratorio natural de la evolución de las especies.

La flora está en relación directa con la altitud de las islas. Las islas bajas son desérticas debido a que la humedad del ambiente es baja y la precipitación nula. En cambio, las que tienen elevaciones, presentan obstáculos a las nubes cargadas de humedad, la misma que se condensa en forma de brumas, lloviznas o aguaceros.

No se necesita ser botanista para apreciar la variación de la vegetación al realizar un viaje de la costa al interior de las islas que tienen prominencias tierra adentro y que, por tanto, captan más humedad. El grado de humedad ha determinado que existan verdaderas zonas de vegetación.

En la zona de la orilla en que la altitud es cero, pero que está bañada por el flujo del mar, se encuentran los manglares, arrayancillos y otras plantas acuáticas menores que llenan la orilla. Luego está la zona seca, en la cual, entre rocas desnudas, se observa plantas raquíticas o espinosas de flores pequeñas.

Es la zona de los cactos (opuntia y cereus) y de los matorrales a veces infranqueables, de los palos santos, algarrobos y líquenes, los que, por su color blanquecino, dan una sensación de tristeza.

Es un hecho que cuando esta zona recibe lluvias, en alguna época del año, la vegetación reverdece instantáneamente, aunque tiene una existencia efímera.

A continuación se observa la zona húmeda baja, en la que crecen grandes helechos y otras variedades siempre verdes. Entre ellas se hallan los matasanos, uñas de gato, rodilla de caballo, espuela de gallo y el pega pega (pisonia floribunda), que sobre todo en la isla de Santa Cruz, caracteriza esta zona.

La zona húmeda alta se sitúa entre los 200 y 500 metros de altura. Esta zona está caracterizada por varias especies botánicas, entre las que se destacan: el guayabillo, cafetillo, pasifloras, huicundos, musgos, hierbas y hongos, sobre todo el "lechoso" (scalesia), que en muchas islas domina y da nombre a la zona.

La coloración parduzca ha hecho que algunos la llamen "zona café". Esta es la zona de las lluvias (1.000 metros), y por tanto, la franja de los cultivos y pastizales, es decir, de las "chacras" en las islas habitadas.

Por último, la zona de los helechos (uno arbóreo: el chontillo, orquídeas y hierbas que predominan en suelos poco profundos y que se los denomina "pampas"), donde crece una capa gruesa que recuerda mucho los pajonales andinos.

Una pradera cubierta de helechos embellece el paisaje de la isla Floreana.

"Por fin llegó la iluminación y estoy ahora convencido muy en contra de lo que mantenía al principio, de que las especies (es como si tuviera que confesar un crimen) no son inmutables".

(Charles Darwin)

Después de 14 años de esta constación, Charles Darwin se atrevió a publicar sus conclusiones; en esos momentos se hundía toda una concepción del mundo. Hasta entonces la inmutabilidad de las especies sostenida a partir del relato bíblico de la creación ("es como si tuviera que confesar un crimen"), era una teoría incuestionada.

Iguana marina, sorprendente muestra de la evolución de la especie.

Fauna

La génesis de la vida en Galápagos es una repetición a escala de la génesis del planeta. Un largo camino (casi mil kilómetros) fueron recorriendo las semillas, los pájaros y los reptiles. A través de las corrientes marinas llevadas por el viento, las semillas de las especies americanas fueron arribando a estas tierras volcánicas recién enfriadas.

Sobre balsas de vegetación, o troncos de árboles debieron llegar a las islas las iguanas, salamanquesas, lagartijas, culebras, una rata, el pachay, otras aves y muchos de los invertebrados; en cambio la tortuga gigante probablemente llegó flotando, lo mismo el pingüino que habita Galápagos. Con las aves llegarían también semillas, huevos de caracoles o insectos parásitos. Los pinzones, cucubes y papamoscas, que son pájaros de mucho volar, pudieron ser arrastrados en el oleaje de los vientos hacia el archipiélago.

Allí el proceso de adaptación consistió primero en ambientarse a lo precario de las condiciones; los migrantes reptiles, más resistentes y adaptables, proliferaron a pesar de la lava y la escasa vegetación. Las aves marinas encontraron en las aguas insulares peces y crustáceos de que alimentarse. Los pinzones dispusieron de semillas, flores, insectos, larvas, néctar y yemas vegetales para la supervivencia; el único mamífero terrestre, una rata, se contentó con frutos, semillas, y las ramas tiernas de la vegetación establecida.

Sin la competencia de otras aves terrestres mayores, mamíferos, hervívoros o carnívoros, fue posible el desarrollo de las especies que se caracterizaban por su mansedumbre y falta de miedo a los otros seres, que acaso sea el rasgo más paradisíaco de este mundo recientemente conformado.

En las islas bajas pudieron hacer su habitat los animales adaptables a los lugares áridos, de escasa vegetación e intensa radiación solar. En las zonas altas, cubiertas de humedad, la vida vegetal y animal se desarrolló con características exhuberantes.

Los animales del archipiélago han adquirido o desarrollado ciertas características especiales, por las condiciones del ambiente y el poder de adaptación de las diferentes especies que arribaron. (Fuente: Juan Black).

Unicidad o Endemismo:

Es decir la presencia de animales que no podemos encontrar en lugar alguno del resto del globo, con peculiaridades notorias y hasta espectaculares en su apariencia y conducta.

Mansedumbre:

Sin duda, la ausencia de depredadores naturales de mayor tamaño ha tornado o mantenido a las especies galapagueñas en completa mansedumbre.

Mezcla de especies de diferentes latitudes:

La situación de las islas bajo la línea ecuatorial y la presencia de la corriente fría de Humbolt, dan lugar a un clima muy variado en el mar y en la tierra. Fragatas, pájaros tropicales, mientras los pingüinos y albatros son antárticos y subantárticos; sin embargo, ambos grupos existen en las Galápagos.

Las dos especies de lobo marino que habitan en nuestro archipiélago, viven cada una en hemisferios distintos; la una en costas de California y el mar del Japón y la otra en las costas australes y Sudamérica. Ballenas y rayas se encuentran juntas en las aguas insulares.

Coloración opaca:

A pesar de ser una característica notable de las especies tropicales la coloración fuerte y variada, los negros campos de lava de las islas Galápagos no permiten mostrar ese tipo de animales.

El gris y el negro son los colores dominantes en la fauna insular.

Primitivismo:

En presencia de una tortuga gigante o de una iguana, nos parece que hemos sido transportados a épocas remotas cuando los reptiles fueron los amos del mundo. Y si a la apariencia de los animales se suma el aspecto del terreno, los negros conos de lava y el ambiente sofocante de las regiones bajas, ciertamente se trata de un lugar primitivo y extraño.

Vertebrados: reptiles

Galápagos:

La tortuga gigante de las islas pertenece al grupo más antiguo de los reptiles. Sus antepasados vivieron en Europa, Asia, Africa, América del Norte y del Sur también poblaron muchas islas del Océano Indico y el Caribe.

Apareció por evolución hace unos 250 millones de años y del tipo original se derivaron tres grupos: las tortugas marinas, las tortugas de agua dulce o semiacuáticas, y las tortugas terrestres. Las tortugas terrestres evolucionaron a la forma actual hace unos 70 u 80 millones de años, época en la que se volvieron gigantes.

Desde el sur de Asia se dispersaron hacia Europa, Africa y algunas islas del Océano Indico. De Asia pasaron al norte y Suramérica y de allí a las islas Galápagos, hace más de un millón de años. Hasta hace unos cien mil años existieron tortugas pequeñas y gigantes en los continentes y en algunas islas. Desde entonces las tortugas gigantes desaparecieron por razones desconocidas. Los últimos lugares que habitaron, fueron las islas del Indico y Galápagos. Actualmente viven una de las veinte especies originales del Indico y 11 de las 14 ó 15 razas del archipiélago ecuatoriano, debido a la explotación humana y a la presencia de depredadores.

Darwin, en El viaje del Beagle la llama Testudo Nigra, y más tarde Linneus la bautiza como Testudo Gigantea. Actualmente se la conoce como Geochelone (tortuga terrestre) y como específico Elepantopus.

En cada una de las islas adquirió una apariencia diferente. Los galápagos habitaban los volcanes de las islas más grandes del archipiélago y los zoólogos los han clasificado en 14 razas o subespecies, pero en dos de ellas Floreana y Santa Fe se han extinguido finalmente, después de siglos de servir de alimento a los piratas y balleneros que se refugiaban en Galápagos.

Lobo de mar, una de las raras especies que superviven en las islas.

Los grandes galápagos que las habitan dieron nombre a las islas del Archipiélago.

Los galápagos se clasifican general-mente en tres grandes grupos, de acuerdo a la figura de su caparazón:

1. Caparazón en forma de montura (Española, Pinzón, Pinta y Fernandi-na). Su concha es alta y levantada en la parte anterior y los miembros son largos. La causa de esta modificación estructural está en que ellos viven en islas sin vegetación baja lo que les obliga a extenderse para alcanzar los arbustos y cactos más altos.

2. El tipo cupuliforme (Santa Cruz, y volcán Alcedo de Isabela) su capara-zón es redondeado y bajo por delan-te, con el cuello y los miembros cor-tos. En las islas donde viven hay vege-tación baja y abundante, por lo que no necesitan extenderse mucho para alcanzarla.

3. Los tipos intermedios que mues-tran variaciones en la forma del capa-razón. Dentro de este tipo están to-das las demás razas, excepto la de Santa Fe, que es de forma desconoci-da porque solamente se conserva de ella unos pocos huesos.

De las once razas sobrevivientes, cinco se encuentran en los volcanes de Isabela una raza en cada volcán, la raza de Pinta fue diezmada por los balleneros, cazadores de focas y pescadores, sin embargo, quedan vestigios de ella, ya que un galápago fue encontrado en Pinta en 1971. En la isla Rábida existe una décima quinta raza, pero existen dudas acerca de su originalidad.

Los galápagos eran muy apreciados por los navegantes, ya que se podían conservar vivos hasta por un año en las bodegas de los barcos, y no necesitaban ni siquiera ser alimentados.

Los libros de bitácora cuentan que una pequeña parte de la flota ballenera norteamericana que operaba en las islas durante el siglo pasado, se llevó más de trece mil galápagos en un período de sólo 37 años. Luego los colonos exterminaron otros tantos miles.

Actualmente, el número total de galápagos registrados en todo el archipié-lago alcanza de nueve a diez mil ejemplares. Hoy ya no es el hombre quien la agrede sino los animales depredadores introducidos en los territorios insulares.

Los galápagos llevan una vida tranquila. Desde las 7 u 8 de la mañana hasta las 4 ó 5 de la tarde deambulan comiendo gran cantidad de: hierba, hojas, flores, tunas y otros arbustos. Permanecen mucho tiempo a la intemperie, sumergidos parcialmente en charcos de lodo durante el día y por la noche duermen ocultos bajo los densos arbustos o semisumergidos en el barro. La permanencia en estos sitios les ayuda a conservar la temperatura apropiada a su digestión, a la vez que se protegen de los mosquitos y otros insectos nocturnos, especialmente contra las garrapatas que se pegan a su piel.

Pueden almacenar grandes cantidades de agua y grasa en las cavidades interiores de su cuerpo, por lo que soporta grandes períodos de sequía. Así se explica su larga sobrevivencia en las bodegas de los barcos. Se desconoce la edad máxima que pueden alcanzar, pero se sabe que pasa de 150 años. En cuanto a su peso, éste puede alcanzar las 550 libras.

Cada año los galápagos viven una estación de reproducción, cuyo tiempo varía de una raza a otra. En Santa Cruz, por ejemplo, el apareamiento ocurre entre marzo y julio, cuando los galápagos machos entablan fingidas luchas. En junio las hembras inician una larga marcha a los lugares de anidación, en los lugares más bajos y abrigados de la isla.

Construir un nido es un trabajo que se realiza al atardecer. Excavan un hoy en forma de frasco con ayuda de orina para humedecer el suelo, donde se ponen los huevos y después los cubren con una capa de lodo. El proceso dura hasta trece horas de labor. Cuatro u ocho meses más tarde las crías salen de allí abriéndose paso a través de una capa densa, seca y compacta.

Los galápagos establecen interesantes asociaciones con otros animales. El pequeño pinzón terrestre, por ejemplo, salta alrededor de los galápagos para quitarles las garrapatas. Las palomas y los cucubes, se alimentan de los desechos de las tortugas y los canarios, las lagartijas de lava y salamanquesas las siguen para capturar mosquitos u otros insectos. El pájaro brujo también colabora a la protección de los galápagos asegurando así su propia sobrevivencia liberándola de otros parásitos menos agradables.

Animales hervívoros, los galápagos poseen una increíble longevidad. ▶

◀ *Galápago de montura.*

Enorme quelonio de la Fundación Charles Darwin.

Las tortugas gigantes tienen un cuello pergaminoso y arrugado, la cabeza serpentiforme con dos orificios nasales en el frente, la mandíbula superior sobre la inferior, la boca cubierta por una placa córnea de borde filoso, la lengua carnosa y corta y los ojos con un solo párpado. Las patas delanteras son enormes, más anchas abajo y cubiertas de duras escamas, terminando en cinco uñas grandes y fuertes. Las patas posteriores son semejantes a las de un elefante, cubiertas con placas o escamas más pequeñas en las anteriores y con cuatro uñas, con las que las hembras cavan sus nidos.

Ante la presencia humana se introducen en la concha, se marchan o siguen pastando tranquilamente. Al introducirse en la concha, la salida del aire pulmonar y extrapulmonar produce un ruido semejante al de una llanta o balón al desinflarse. La respiración es rítmica y produce un ligero silbido al paso del aire por las fosas nasales.

La distinción entre los sexos se puede precisar por el tamaño y la forma de la cola; el galápago macho la tiene gruesa y larga y terminada gradualmente el punta, en tanto que la hembra la tiene corta, menos ancha y termina abruptamente. Diferenciar el sexo no es posible sino a partir de la edad reproductora, es decir a partir de los cincuenta años.

Las tortugas gigantes pueden ser vistas en la parte alta de la isla Santa Cruz (La Reserva) además de las que se hallan cautivas en la Estación Charles Darwin. Los visitantes obtiene el permiso correspondiente en la oficina del Parque Nacional, en Puerto Ayora.

Iguanas Marinas:

Es un animal oscuro, casi negro, con aspecto de dragón, absolutamente pacífico. En todas las islas del archipiélago se encuentran estos sobrevivientes de épocas remotas, y se las localiza sobre las rocas, soportando impacibles el sol vertical de las islas. La iguana marina de Galápagos (Amblyrhynchus cristatus) es endémica y es la única en el mundo que se alimenta en el mar, sumergiéndose en el agua o esperando la bajamar.

Se supone que esta adaptación se produjo debido a la competencia de dos especies, de las cuales una debió buscar su alimento en la costa, debido a las limitaciones de abastecimiento en el interior de las islas, o quizás una de ellas, más agresiva, desplazó a la otra. También existe la posibilidad de que llegara a las islas una sola especie y en algunas de ellas no existiera vegetación terreste para alimentarse, disponiendo sólo de algas marinas para vivir.

Las iguanas marinas poseen ciertas glándulas conectadas al sistema respiratorio donde se acumula el exceso de sal, que es expulsado de cuando en cuando por las fosas nasales (Dunson, 1969, citado por Juan Black).

Las iguanas viven en colonias, y se las ve especialmente en Punta Espinosa (Fernandina) inmóviles sobre la ardiente lava junto al mar.

Entre diciembre y enero se produce la época de apareamiento de las iguanas. Entonces los machos adquieren colores brillantes, con manchas pardas, rojas y azul-verdosas a lo largo del cuerpo, y adoptan un comportamiento agresivo en la lucha por determinar un territorio en el cual afincan su "poder"; y se las ve moviendo la cabeza rápidamente a intervalos.

Luchan trabando las protuberancias de la cabeza y empujándose, pero rara vez resultan heridos. El perdedor abandona lentamente el territorio, con el cuerpo aplastado al suelo en señal de derrota.

Las hembras también defienden su territorio de incubación. Esas luchas sí resultan sangrientas y algunas de ellas salen sin parte de sus dedos de estos enfrentamientos. En la arena en las orillas del mar construyen sus nidos, y donde no existen costas, sobre los acantilados o en tierra suave. La construcción de los nidos se produce entre febrero y marzo. Producen huevos "cauchosos" de 80 a 120 gramos y las pequeñas iguanas emergen de ellos el mes de mayo, época en que los tiernos dragos salen y se refugian en los huecos de las rocas.

Sus enemigos naturales son: la garza morena, los gavilanes, las culebras y los tiburones pequeños. Las adaptaciones producidas a lo largo de los siglos les permite una vida semimarina: la cola, más larga que el resto del cuerpo, es comprimida lateralmente y sus fuertes dedos terminan en grandes garras arqueadas, que le sirven para adherirse a las rocas. Nada con movimientos de pelvis y cola, mientras los miembros anteriores y posteriores permanecen pegados al cuerpo y los utiliza sólo para guardar el equilibrio frente al embate de las olas.

Existen varias razas en el archipiélago, diferenciadas por el color y el tamaño. Las más grandes se encuentran en Santa Cruz y la Isabela y las de mayor coloración en la Española y Santa Fe.

Iguana marina, rara supervivencia de la época terciaria. ▶

Iguanas Terrestres:

La iguana terrestre de Galápagos, del género conolophus, tiene parientes en América Central y Meridional, pero mientras la iguana continental es verde o verdosa, la de las islas tiene una coloración amarillo obscuro que resulta no compatible con el lugar en que habita. Se alimenta de los cactos, hojas de palo santo y muyuyo, a cuyos árboles trepa frecuentemente.

Prefiere la soledad, es más agresiva y a veces muerde. Anida en tierra arenosa entre enero y febrero, la postura es, generalmente, de dos a tres huevos. Una de las especies, la conolophus subcristalus, habita en las islas: Fernandina, Isabela, Santa Cruz, Plaza y hasta hace unos años, en San Salvador y Baltra. La conolophus pallidus vive en Santa Fe.

La de Santa Fe difiere de la otra, por tener una hilera de espinas más pronunciadas a lo largo de la espalda y un color más amarillento, alcanza una longitud de más de un metro. El macho es más grande, pero machos y hembras tienen mayor longitud que sus parientes marinos.

Las iguanas terrestres viven por lo general en las partes más áridas de las islas, en los terrenos suaves excavan madrigueras a 15 ó 20 centímetros de profundidad, de una longitud de casi dos metros. Las madrigueras del macho y de la hembra son vecinas.

Su alimento consiste en cortezas y brotes tiernos de arbustos, hierbas y cactos que se tragan a pesar de las espinas. A veces han sido vistas trepándose a los cactos para alcanzar sus flores. Los pinzones y cucubes colaboran con las iguanas terrestres alimentándose de sus garrapatas.

Hermoso ejemplar de iguana de tierra.

Durante los períodos de celo los machos delimitan sus territorios y se vuelven muy agresivos. Si son invadidos, la lucha es feroz y generalmente el invasor es desalojado a golpe de cabeza. Las hembras no intervienen en estas luchas, limitándose a observar el papel que desempeñan sus protectores.

Desde la llegada del hombre a las islas el número de iguanas terrestres ha decrecido considerablemente, excepto en Fernandina, donde el aislamiento las ha preservado. En Santiago y Baltra la dura competencia por el alimento con los animales introducidos, la destrucción de sus huevos por perros y ratas y la cacería del hombre para aprovechar su hermosa piel, las ha diezmado.

Lagartija de Lava (género tropidurus)

Son los reptiles más numerosos, activos y curiosos del paisaje insular. En cada una de las islas hay una especie diferente. Cada especie posee un color, tamaño y comportamiento peculiar. Los machos son más grandes que las hembras y a veces el peso de ellos sobrepasa tres veces al de ellas.

En Santa Cruz los machos son grises con manchas negras, los de la Española son ocre, verdosos o cafés con manchas negras. Durante el celo las lagartijas de Santa Cruz adquieren un color café en la espalda, y rojo vivo en la garganta y vientre, las de la Española también se vuelven café en la espalda y rojo vivo en su cabeza y cuello. La coloración de la hembra varía también durante el año, disminuyendo la coloración roja del celo una vez pasado éste en algunas especies. Su alimento consiste en moscas, saltamontes, escarabajos, mariposas y en algunas islas, de plantas.

Lagartija de lava.

Desarrollan una gran actividad, especialmente durante la época del celo. El territorio de los machos es de mayor tamaño que el de las hembras y puede abarcar varios de ellos y es defendido únicamente contra los miembros del mismo sexo. La variación de su comportamiento es notoria de una especie a otra, y los zoológos las distinguen según sus movimientos de cabeza.

Desde el cálido diciembre hasta las primeras lloviznas de mayo se produce la época de la reproducción. Las hembras ponen sus huevos en suelo suave, húmedo, bien oxigenado y con calor suficiente para que pueda desarrollarse el embrión. Dos o tres huevos son depositados mensualmente y enterrados a unos cincuenta centímetros de profundidad. Después de dos o tres meses de incubación, las pequeñas lagartijas emergen de la tierra

Salamanquesas o Salamanquejas:

Catalogadas en la familia gekkonidae, estos pequeños reptiles nocturnos tienen en las patas ventosas que les permiten subir por las superficies lisas y verticales. Existen ocho especies que pertenecen al género de phyllodactylus y una novena del género gonatodes. Las salamanquesas se ocultan durante el día en los sitios de sombra, debajo de las rocas, cortezas o palos, durante la noche desarrollan su actividad y buscan su alimento.

Son parecidas a las lagartijas, pero de cabeza y ojos grandes, adaptadas a la oscuridad. Se alimentan de insectos y ponen sus huevos bajo las piedras y la hojarasca.

Serpientes de Galápagos:

Existen siete formas no venenosas de la misma especie que son nativas de estas islas. Son delgadas y no pasan de un metro de longitud. Su piel es lustrosa, de color café, surcada en algunos casos por líneas y manchas amarillentas en el dorso. Pertenecen al género micus.

Mamíferos

El único mamífero terrestre de las islas es una rata pequeña cuyo régimen alimenticio es vegetal y que ha desaparecido de la mayoría de las islas, por la competencia de la rata negra introducida (rattus rattus) y el ratón (mus musculus). Sólo en Santa Fe y Fernandina existe. Es de vida nocturna que, a veces, incursiona durante el día en busca de comida.

Dos especies de mamíferos volátiles se han desarrollado también en Galápagos: Laciurus brachyotis y L. cinereus y se desconoce si son visitantes regulares o residentes de Galápagos. Los restantes mamíferos, de las islas son marinos, los leones marinos o lobos y las focas de dos pelos.

Lobos marinos:

Los lobos marinos pertenecen a la familia otaridae y se componen de varias especies, todas ellas con orejas pequeñas y puntiagudas. El lobo marino de Galápagos proviene de la especie de California, y se diferencia de éste solamente por el tamaño. Se alimenta de peces pero descansan y procrean en la costa. Su cuerpo es fusiforme, con las extremidades adaptadas para la natación. Cuando nadan, los orificios nasales están cerrados por músculos anulares que se abren cuando necesitan respirar.

Un grupo de lobos marinos retozan en la playa de la isla Española.

Su crecido número en esta zona ecuatorial se explica por la acción de la corriente de Humbolt. Casi todos son juguetones y pacíficos.

los machos se reconocen por su mayor tamaño, la parte superior de color más oscuro, además de un abultamiento característico en forma de cúpula en la cabeza. Estos pueden llegar a ser hasta tres veces más grandes que las hembras. Son polígamos y se vuelven feroces y peligrosos si se les molesta.

Un macho puede tener un harén de hasta 30 ó 40 hembras, con las cuales se muestra cariñoso y paternal. Conoce su rebaño y reprende cualquier intento de las hembras o sus lobeznos de abandonarlo. Cuando otras hembras o cachorros pretenden invadir sus dominios, los expulsa. La vida de un macho es llena de preocupaciones, ya que está constantemente patrullando a su familia y el territorio que ésta ocupa y regularmente debe enfrentarse con otros machos en la defensa de su familia y territorio y con frecuencia quedan marcados con las señales de estos enfrentamientos.

La hembra pare una sola cría a quien alimenta aproximadamente haasta los dos años de edad. Es un bello espectáculo ver a las pequeñas focas retozando en la arena y persiguiéndose unas a otras. Las hembras reconocen a sus crías por el olor o llamándolas. Cuando las crías crecen un poco, el macho se encarga de mantenerlas juntas y de alejarlas de las aguas infestadas de tiburones.

Focas de Piel:

Son las únicas focas de piel que viven en aguas tropicales y obviamente parientes de sus similares de la zona austral. Fueron arrastradas por la corriente de Humbolt y en Galápagos sufrieron la persecución de los balleneros y pescadores, lo que disminuyó su número considerablemente.

Foca peletera (lobo de pelos) en un arrecife de la isla Isabela.

Su piel es más gruesa que la de los lobos marinos y está formada de dos capas de pelo, la exterior de pelo largo y la inferior de pelo corto. Su cabeza es muy parecida a la de los osos y más corta y ancha que la del lobo marino. Su mirada —coinciden en eso científicos y simples observadores— tiene una expresión de tristeza y de bondad.

La foca emite un sonido diferente al del lobo y es similar al mugido de una vaca. No se la encuentra generalmente en las playas, sino en lugares rocosos y, en profundad y sombrías cuevas donde buscan protegerse del intenso sol ecuatorial.

Aves

Hace más de un millón de años, los pájaros migrantes que atraviesan en bandadas la tierra, de uno a otro hemisferio, se encontraron con las islas. Allí la vida comenzaba y un lento proceso de colonización biológica iba cubriendo los volcanes enfriados, de vida animal y vegetal.

Los procesos de adaptación modificaron, como en todos los casos, las especies, diferenciándolas claramente las del continente. Muchas de las aves de Galápagos son únicas en su especie.

Son características las aves del archipiélago por su extraordinaria mansedumbre, ya que entre los factores que determinaron su carácter, no existieron ni el peligro ni el miedo. Pájaros que en otras latitudes huyen inmediatamente ante la presencia del ser humano, aquí permanecen en su habitat sin experimentar la menor confianza.

Albatros:

La única colonia reproductora del albatros de Galápagos se encuentra en la pequeña isla Española, al extremo sudeste del archipiélago.

El albatros es el ave marina más grande que se encuentra en las aguas tropicales del Pacífico Oriental. Su cabeza y cuello son blancos con tintes amarillentos y a través de su pecho cruzan líneas grises horizontales. Sus patas membranosas y amarillentas y el ganchudo pico de 12 centímetros son proporcionalmente grandes. Sus alas, cuya longitud llega hasta los 2,4 metros, les permite planear con débiles corrientes de aire, y se los ha visto planeando mar afuera en las costas de Colombia, Perú y Ecuador.

A fines de marzo pueden verse grandes cantidades de albatros en las inmediaciones de la isla Española. Los albatros procrean únicamente en la parte meridional de esta isla, y su población es relativamente estable; en 1971 se calculó que existían diez mil parejas. Los malos períodos de crianza parecen coincidir con los años de lluvias torrenciales y altas temperaturas.

El apareamiento de los albatros es una de las ceremonias más singulares que tienen lugar en las islas. Comienza con el "rito" de esgrimir los picos, acompañados de ruidosos silbidos, que sirve para fortificar los lazos de unión de la pareja. Si el apareamiento tiene éxito, la hembra pone un huevo en el suelo y aproximadamente dos meses después, éste revienta y sale un emplumado pichón café. Los pichones vagan a sus anchas pero responden de inmediato al llamado de sus padres para proveerles de alimento, el cual consiste en un líquido aceitoso de peces y calamares regurgitado del estómago de sus padres. Se ha observado a pichones de albatros devorando casi dos litros de este aceite, tanto que apenas si puede mantenerse en pie. En enero los jóvenes albatros emigran mar afuera, abandonando las colonias hasta fines de marzo para dirigirse a los mares frente al continente, hasta las costas de Colombia, Perú y Ecuador.

Un albatros durante el período de incubación. ▶

La Danza Nupcial

(Irenaus Eibl-Eibesfedt)

"Las dos aves comenzaban la danza en aquel momento. Con pasos lentos bailaban uno alrededor del otro, al tiempo que se inclinaban rítmica y profundamente hacia el lado de la pisada. Simultáneamente echaban la cabeza hacia este mismo lado, hasta que el pico, dirigido hacia el suelo, tocaba el hombro. Después de un breve baile pararon, situándose uno frente a otro, empezaron a golpearse y frotarse los picos con movimientos laterales cortos y rápidos. A renglón seguido uno de ellos levantaba el pico hacia arriba y trompeteaba roncamente.

"Su compañero respondía con gesto similar para inclinarse luego hacia adelante, con el pico dirigido hacia el otro. Este abría entonces el suyo de par en par, cerrándolo con estrépito. Parecía como si se hubiera sentido amenazado por un gesto de su compañero y yo me inclino a creer que éste (señalar al otro con el pico) tiene un significado de amenaza. El castañeteo con el pico sería entonces una forma de defensa. Y no es raro que en las danzas nupciales se produzcan acciones agresivas. Los animales muestran un cierto temor o recelo frente a sus congéneres, y este miedo al contacto se mitiga con dicha danza. Si no fuera así, esta, estaría demás.

"De cuando en cuando castañeteaban con el pico como lo hacen las cigüeñas, pero manteniendo el cuello siempre extendido siempre adelante. Esta operación terminaba generalmente con un tirón hacia arriba de la cabeza, de manera que el cuello quedaba otra vez derecho como una vela y el pico apuntado hacia el compañero. Al levantar la cabeza emitía un grito prolongado. Cuando uno de ellos castañetea, el otro toca generalmente con el pico uno de los hombros del compañero y permanece en esta posición hasta que el otro termina de castañetear; después levanta la cabeza y castañetea otra vez.

"Finalizada esta operación, ambos albatros se frotan otra vez los picos, se dedican profundas reverencias, gritan go, go, go y se sientan, indicando claramente su disposición de construir juntos el nido".

"Comienza de nuevo a frotarse los picos uno contra otro, pero esta vez picoteándose el cuello y la nuca. Con cuidadosos picotazos se peinan las plumas una a una. De esta manera se asean mutuamente durante un rato. Por último se levantaron y comenzaron de nuevo la ceremonia. No puede reconocerse un orden estricto en la secuencia de los distintos movimientos; sin embargo, me pareció que con el desarrollo del baile los movimientos de la pareja se hacían más sincronizados, de manera que al final ambos alzaban la cabeza, castañeteaban o hacían las reverencias al mismo tiempo".

("Las Islas Galápagos, un Arca de Noé en el Pacífico")

Fragata Real y Fragata Común:

La fragata es un ave que se pasa la mayor parte de su vida volando. Su negro plumaje ha perdido su impermeabilidad y por eso nunca se posa sobre el mar, por lo que su cuerpo está adaptado para realizar largos viajes aéreos "sin escala". A pesar de que su embergadura alcanza dos metros o más, su peso no pasa de tres libras. Además, tiene patas pequeñas y una larga cola horquillada que colabora con sus desplazamientos.

En Galápagos existe dos clases de fragatas: la fragata real y la fragata común. La fragata real se encuentra aislada de las colonias de aves marinas y pasa mucho tiempo revoloteando sobre los botes pesqueros o sobre los lugares poblados. El macho es íntegramente color negro y la hembra por el contrario, tiene una gran mancha blanca en el vientre y el pecho.

Las fragatas jóvenes tienen el plumaje blanco teñido de color rojizo. El macho tiene una banda parda no muy perceptible en sus alas y la hembra., blanco en la parte inferior de su cuerpo que se extiende hasta la quijada. Las aves tiernas tenen un plumaje blanco matizado de un color rojizo ladrillo.

Cuando está en celo, el macho infla una membrana escarlata debajo del buche, con el que atrae la atención de la hembra, tan pronto como ésta accede al llamado, el macho inicia un temblor frenético de sus alas, para atraer su atención. Si el cortejo tiene éxito, la nueva pareja realiza una ceremonia de movimiento de cabezas. El frágil nido es construido en las ramas de un arbusto, donde la hembra deposita un huevo de gran tamaño y comienza el período de incubación que se prolonga durante 55 días. Durante ese tiempo solamente desampara el nido cinco o seis veces. Durante el período de incubación, la madre pierde alrededor del veinte por ciento de su peso normal. El pichón permanece al cuidado de sus padres hasta que puede defenderse y bastarse a sí mismo. Debido al gran esfuerzo que significa para estas aves cada ciclo de reproducción, se presume que no pueden realizarlo cada año.

Un grupo de fragatas o tijeretas en la isla Genovesa.

Piqueros:

Son probablemente las aves más características de Galápagos. Tres especies de piqueros habitan las islas y todas tienen el cuerpo esbelto y figura similar: alas largas, pico puntiagudo. La hembra es más grande que el macho. Los piqueros viven en colonias en diferentes ambientes y cada una de las especies se caracteriza por un diferente plumaje y distinto color de patas.

Piqueros patas azules:

Es la más común y hermosa de las especies de piqueros de Galápagos; viven cerca de la costa y los adultos se distinguen por la pigmentación blanca y café de su vientre y por un azul intenso de sus patas; la hembra lleva un círculo obscuro alrededor de la pupila y emite un sonido ronco mientras la voz del macho es una especie de silbido.

Cada pareja puede criar dos o tres pichones si las condiciones son favorables. Cuando escasea la comida, el mayor de ellos consume la de sus hermanos menores, provocando la muerte de estos o la de aquel.

Para comer, los piqueros de patas azules realizan todo un trabajo de equipo muy singular. Los grupos se zambullen en las olas para prender su presa y luego se lanzan hacia el aire para reagruparse nuevamente y repetir la maniobra.

Esta especie de piqueros anida directamente en el suelo, y es hermoso verlos con sus "zapatos" azules empollando grandes huevos sobre la lava y los restos volcánicos o encima de la tierra de las islas.

Piquero patas azules.

Piquero enmascarado:

El piquero enmascarado es el más grande de su especie y llega hasta cerca de dos metros. En la edad adulta, su plumaje es blanco con franjas negras en las alas y en la cola.

Un antifaz negro circunda sus ojos anaranjados. Los jóvenes son parecidos a los de patas azules de la misma edad, pero su color café está reducido a los costados y el blanco vientre se extiende hasta la garganta, su pico es más vigoroso.

Las costumbres de anidación marcan la diferencia entre esta especie y otras.

Los piqueros enmascarados prefirieron anidar en terreno escarpado o en áreas abiertas cerca de los peñascos, donde las corrientes de aire ascendentes les facilitan el vuelo.

Cada colonia tiene un ciclo anual de reproducción, ésta difiere de isla a isla. Al parecer la conducta territorial en esta especie se encuentra más desarrollada.

De los dos huevos que pone la hembra del enmascarado rara vez los dos polluelos alcanzan la madurez por la escasez de alimento, las épocas más difíciles, no permiten ni siquiera la sobrevivencia de uno de los dos. El piquero enmascarado hembra anida directamente en el suelo.

Esta especie es la que más se aleja de la orilla para buscar su alimento y muy rara vez se lo ve pescando cerca de las playas.

Piquero enmascarado.

Piqueros patas rojas.

Piquero de patas rojas:

Son los más pequeños de los pinzones y los únicos que anidan en los árboles. Sus patas rojas están adaptadas para agarrarse de las ramas. Las dos especies que viven en las islas, tienen patas rojas y pico azul y la variedad más común es íntegramente café, mientras que la otra tiene un plumaje blanco con algo de negro en sus alas.

La forma blanca del piquero patas rojas puede diferenciarse del piquero enmascarado por el color negro de las plumas remeras y timoneras y por el pico azul. Los adultos se parecen a los jóvenes en el color café, pero el de sus patas es aún deslucido.

Genovesa posee la mayor cantidad de pinzones; se calcula que allí viven unas 140 mil parejas. La época de apareamiento depende de las disponibilidades alimenticias.

Los nidos son construidos con ramas y brotes verdes. La hembra deposita un sólo huevo que se abre después de 46 días para dejar paso a un pichón café.

Cormorán no volador:

Se encuentra en Fernandina y en Isabela. Es la clase de ave que ante la ausencia de enemigos pudo perder la capacidad de volar sin peligro para la continuidad de la especie.

Estas aves no voladoras, únicas con esta característica en el planeta, poseen un plumaje de color oscuro y patas semejantes a las de los patos, la cola corta y erizada y el cuello parecido al de una serpiente. En la cabeza, de pico puntiagudo, brillan sus ojos de un extraordinario verde azulado.

Las alas, provistas de plumas, son absurdamente pequeñas en relación al cuerpo del cormorán. Ni siquiera miden un tercio de la longitud del cuerpo y en los adultos parecen no haber crecido más que a medias, aunque sirven muy bien para dar sombra a los pequeños.

Los machos son más voluntariosos que las hembras y tienen un pico más pesado. Cuando nadan llevan sus alas plegadas a lo largo del cuerpo y las utilizan en su impulso hacia adelante. Nadan con el cuerpo sumergido y solament el cuello y la cabeza sobre la superficie del agua. Después de este ejercicio, se instalan en una roca a secar sus rudimentarias alas al sol. En tierra dan pequeños saltos de roca a roca, las alas les sirven entonces para darse impulso, pero su marcha es dificultosa.

El rito de reproducción es colectivo: agrupa alrededor de veinte parejas y difiere del de cormoranes residentes en otras latitudes, ya que en Galápagos se inicia en el mar y ha sido descrito como una antigua danza.

El macho viene del mar hacia el sitio de la ceremonia, que se realiza en tierra. Antes de anidar, trae trozos de algas en el pico y los deposita respetuosamente a los pies de su compañera. Más tarde, son los dos quienes las traen, costumbre relacionada con la ceremonia de relevo en el cuidado del nido, ya que durante la época de incubación las algas son la señal del cambio de guardia.

El nido lo construyen en áreas rocosas planas y en playas de guijarros accesibles desde el mar. Tiene forma de copa y, un diámetro de 45 centímetros, en el cual la hembra deposita dos o tres huevos. Los pichones son de color negro y se alimentan introduciendo su cabeza en el pico abierto del adulto y tomando alimentos regurgitados.

Pingüino:

El pingüino de las islas proviene de su similar del Polo Sur, pero es considerablemente más pequeño. Existe una "ley natural" que explica, el porqué los individuos de las especies tengan menor tamaño que sus parientes a medida que se acercan a los trópicos.

Esta especie está estrechamente relacionada con el pingüino de Humbolt que reside en las costas peruanas y chilenas y se encuentra solamente en las aguas frías del archipiélago, junto a las costas de Fernandina e Isabela, donde su población se calcula entre los 2.000 y 4.000 individuos, se los puede encontrar también en otras islas cuando están en época de reproducción.

Cuando el pingüino camina en terreno áspero cruza sus patas y alas para desplazarse, y, cuando atraviesa superficies suaves, se inclina hacia adelante y da pequeños saltos. Al saltar, o al lanzarse al agua lo hace sumergiendo primero las patas. A diferencia del cormorán, que usa sus patas para nadar, el pingüino usa sus alas como único medio de propulsión, extendiéndolas hacia atrás para timonear el cuerpo. Su principal alimento son los peces.

A los jóvenes se los distingue porque carecen de manchas blancas y negras sobre la cabeza, como los adultos. El pingüino regresa a su nido generalmente por la noche y la mayor parte del tiempo lo pasa cerca del nivel de la marea. En las tardes emite un sonido semejante al rebuzno del burro y se lo siente en ambas orillas del Canal Bolívar, entre Isabela y Fernandina.

Gaviota de lava:

Es una de las aves más raras del mundo, su población no pasa de 300 a 400 parejas. Los adultos tienen manchas grises sobre el cuerpo y anillos blancos alrededor de los ojos. El cuello, pico, cabeza y patas son casi negros. Parecen salidos de la lava donde habita, mimetismo que las protege de agresiones externas.

Tienen la costumbre de mirarse las patas; este comportamiento es una especie de "tic" que junto a los ruidos que emite, parecidos a los de la risa humana, le dan una caracterización absolutamente exótica con respecto a las aves del continente y del archipiélago. Las gaviotas de lava se alimentan de zayapas, pequeñas iguanas marinas, peces muertos y placenta de lobos marinos.

A diferencia de otras gaviotas, la de la lava anida solitaria, instalando su nido en las costas más solitarias, en los lugares bajos y cerca de las ensenadas, donde deposita dos huevos de color verde y oliva, moteados de color obscuro, en toscos nidos de palos que protege cuidadosamente contra cualquier invasor, al que expulsa con furiosos golpes de sus patas.

Gaviota de cola bifurcada:

Es una de las más hermosas de las islas. También habita en la isla Malpelo en Colombia. Su cuerpo y alas son de color gris pálido, el pico negro con punta amarilla y grandes ojos circundados de un anillo rojo. Tiene las patas rojas y la cola blanca y horquillada.

Los jóvenes son blancos y moteados de negro. Sus costumbres alimenticias difieren totalmente de las gaviotas de lava y otras aves, ya que tienen un régimen alimenticio nocturno y saca su alimento en alta mar, donde se aventura en plena noche en busca de peces y calamares.

Vive en colonias y construye su nido en riscos. Pone un sólo huevo de color muy moteado, en el suelo. Galápagos es para esas gaviotas fundamentalmente un lugar de anidación, ya que una vez pasada esa época, se alejan hacia las costas continentales.

Gaviotas marinas en ceremonia nupcial.

Piloto (pájaro tropical):

Su nombre científico es phaeton aethereus, que deriva de Phaeton, el hijo de Apolo que cayó del cielo sobre el océano.

Esta especie puede ser encontrada en cualquier lugar del mundo donde existan mares calientes. Su plumaje es blanco y tiene manchas oscuras en la espalda. Dos plumas largas en la cola y el pico coral, lo vuelve identificable mientras vuela.

Obtiene su alimento zambulléndose en el océano y pescando.

En las islas Plaza cumple un ciclo anual de crecimiento, los huevos son depositados de agosto a septiembre; en el resto de las islas anida durante todo el año. Los pichones son más oscuros que los adultos, carecen de las largas plumas de su cola y su pico es amarillento.

Pelícano o Alcatraz:

Siendo una de las aves más grandes que se puede ver, el pelícano de Galápagos es el más pequeño de su grupo. Cuando está empollando, la cabeza y la parte inferior de su largo cuello, tiene una franja blanca, y el resto del cuerpo es castaño. El pico, extremadamente largo, tiene una gran bolsa bajo la mandíbula con la que pesca las especies de las que se alimenta.

Los jóvenes tienen un color más claro y manchas blancas en todo el cuello. Contrariamente a lo que se cree, la bolsa del pico no es utilizada para almacenar comida, sino solamente para pescar sumergiendo la cabeza en el mar.

Entre los manglares hace su nido y allí deposita los huevos. Algunos pichones mueren en el aprendizaje del método de alimentación de su especie.

Los pelícanos pescan en el arrecife, mientras una tijereta recorta una silueta contra el cielo.

Flamenco:

Es el ave más hermosa que llegó a las islas. El flamenco (phoenicopterus) es de color rosa, largas patas y pico doblado. La subespecie de Galápagos pertenece a las Indias Occidentales.

Vive en algunas salinas de las costas, especialmente en la Isabela.

La época de celo es esporádica y probablemente controlada por las circunstancias y condiciones locales del agua.

Según el censo realizado en octubre de 1968 por la Estación Darwin, la población alcanza a 512 individuos. Los flamencos anidan en las lagunas contruyendo altos nidos de barro y son la especie más arisca de las aves de Galápagos. Suelen emigrar a otros lugares en busca de mayor seguridad. Su fragilidad y hermosura se advierten a lo lejos, tiemblan y emprenden el vuelo ante la presencia humana.

Golondrina de mar:

En el archipiélago existen tres especies de golondrinas de mar, todas de color negro y aterciopelado y del tamaño de una golondrina común, con una mancha triangular en la base de la cola. Se alimenta de plancton y peces.

Golondrina de Elliot:

Es la más común del archipiélago. Vuela horizontalmente y sin cambios erráticos de dirección. Cuando coje su alimento pasa a ras del agua y parece nadar. Se distingue por sus patas largas y una línea blanca que le atraviesa desde el pecho hasta la cola.

Golondrina de Madeira:

Es la más grande y se distigue por su mancha cuadrada en la rabadilla. Hace sus colonias en las islas menores, pero son difíciles de encontrar. Se alimenta en alta mar y visita su nido por la noche. Tiene dos ciclos anuales de reproducción que van de abril a junio y de diciembre a enero. Cada hembra pone una vez al año.

Golondrinas de Galápagos:

Su vuelo es relativamente errático y cuando coje su alimento lo hace de noche. Se alimenta de placton, fundamentalmente. Visita su nido durante el día en las colonias de Punta Pitt y Genovesa. Su población es estimada en 200.000 pares.

Pata pegada:

Es de color negro en su parte superior, frente y alas blancas, con bordes negros.

Para construir su nido cava profundas madrigueras en el suelo húmedo de las islas mayores, hace este trabajo sólo por la noche.

Esta es una especie en peligro de extinción a causa de las ratas y de animales domésticos, hay en estado salvaje, los cuales matan los pichones.

Pufino:

Son aves negras y blancas y anidan entre los riscos cada nueve o diez meses. Son un espectáculo revoloteando en grandes grupos al borde de los precipicios, lanzando gritos y pescando.

El lago de los flamencos en la isla Isabela.

Aves terrestres

Gavilán de Galápagos:

Está relacionado con una especie de norteamérica. Los jóvenes tienen el pecho pálido y moteado de café oscuro y los adultos ostentan un plumaje del mismo color: patas amarillas y cola con franjas transversales.

En la cadena alimenticia de las especies de Galápagos, el gavilán ocupa el espacio más alto, ya que no tiene competidores naturales. Vuela sobre las islas para observar el terreno en busca de iguanas, ciempiés, ratas, carroña y pájaros. Puede vivir en muchos y diversos ambientes, por lo que su ausencia en muchas islas resulta extraña.

Construye un nido entre las rocas o sobre los árboles, con grandes ramas donde la hembra deposita dos o tres huevos. Por lo general, hay dos o más machos con cada hembra y todos ayudan a cuidar a los pequeños. Su población actualmente no pasa de 200 parejas.

Paloma de Galápagos:

De color rojizo oscuro en su parte dorsal, rosado en la ventral y patas rojas, es mansa y común en las islas.

Su cuerpo está recorrido lateralmente por una línea roja; alrededor de sus ojos tiene un anillo color turquesa y a los dos lados del cuerpo manchas de plumas iridiscentes. Al volar deja ver en las alas una franja blanca. La paloma de Galápagos habita en áreas secas y rocosas en la mayoría de las islas.

Cucubes:

Los cucubes de Galápagos son las aves que más fácilmente se pueden encontrar, son grises con pequeñas manchas oscuras, pico largo y curvado y se acercan con curiosidad a las personas.

Cuatro especies de cucubes existen en Galápagos. Bulliciosos, y casi del tamaño de un mirlo, se caracterizan por su gran mansedumbre y se encuentran en todas las islas mayores. Se alimentan de huevos de otros pájaros, de pequeños pinzones, lagartijas de lava e insectos.

Pájaro brujo:

Junto al canario de las islas es el único pájaro de color. Es de un rojo intenso en la cabeza y cuerpo oscuro. La hembra es parecida, pero por debajo tiene un amarilo vivo, lo mismo que los pichones machos.

Papamoscas:

Su pecho y vientre son amarillos, vive en las áreas más secas del archipié-lago.

Canario (María): (dendroica patechia):

Es amarillo, de canto agradable y muy manco; con frecuencia entra en las habitaciones a cazar insectos.

El macho tiene, sobre el color amarillo, franjas castañas en la cabeza y en el pecho; la hembra en cambio, carece de ellas.

Lechuzas:

Dos especies de lechuzas habitan en las islas; la de campo (asioflammeus galapagoensis) se alimenta de ratas, ratones, pájaros pequeños, ciempiés y saltamontes; construye su nido en el suelo.

A la lechuza de campanario (tyto alba punctatissima) se la ve solamente durante la noche y es de color blanquecino, en tanto que "asio" es café oscuro. Pone sus huevos en cuevas y huecos de árboles.

Martín de Galápagos:

Es una golondrina de plumaje oscuro. El macho es azul oscuro y la hembra de vientre delgado, garganta y pecho grises y un collar de color claro alrededor del cuello. Planea en círculos concéntricos alternando con rápidos movimientos de alas.

Cuclillo:

Es más grande que un cucube; su color es café pálido por encima de la cabeza y detrás del cuello café grisáceo, con marcas blancas o negras y rojizo por debajo. No es muy común en las islas.

Gallinuela:

Es una ave mediana, café oscuro o negro, blanca debajo de la cola, pico rojo y una línea blanca a cada lado del cuerpo.

Es una de las aves más comunes del mundo. En Galápagos habita en las partes altas y húmedas de las islas principales y las pozas saladas, especialmente cerca del Puerto Villamil.

Gallareta:

Es muy conocida en América del Sur. Su cuerpo es de color oscuro, pico amarillo, con rojo en la base y patas rosadas. Habita también en las partes altas y húmedas de las islas.

Pachay:

Es de color oscuro, castaño por arriba y con manchas en sus alas. Vuela muy poco.

Aves de costa

Garza morena:

Es de gran tamaño, color gris azulado, más vivo en el largo cuello y en la cabeza; mide cerca de un metro de alto y dos de envergadura. Habita junto al mar.

Garza de lava:

Vive en las rocas, cerca de la orilla y es de color oscuro pálido y patas amarillas, considerablemente más pequeña que la garza morena, tiene el cuello corto y un largo y agudo pico.

Huaque:

Los adultos son de color gris, cabeza negra, con cresta blanca o amarilla y una mancha detrás de los ojos. Es sobretodo de actividad nocturna, pero se la ve también durante el día pescando o capturando zapayas. Anida entre los manglares o en las grietas de lava.

Tero real:

Tiene las patas largas y delgadas y el pico negro. El color de su cuerpo es negro por encima y blanco por debajo. Durante el vuelo, sus largas patas extendidas sobrepasan la longitud de la cola. Es común en las lagunas de agua dulce y salada.

Ostrero:

Vive en la costa; es un ave robusta, de pico rojo, largo y fuerte, patas rojas, el pecho y la parte superior negro, la parte inferior blanca. Cuando vuela, deja ver una franja blanca en las alas y otra en la cola. Su llamada es un clamoroso "clip".

Atillo:

Este pequeño pata café tiene carrillos blancos y cuando vuela exhibe una mancha verde en sus alas. Este es el único pato de Galápagos y vive en algunas lagunas de agua dulce y en las salinas. Practica hermosas danzas de apareamiento.

Gaviotín cabeza blanca:

Anida en los barrancos de las costas y es frecuente verlo alimentarse de peces que captura al vuelo. Es completamente negro y con una mancha blanca en la cabeza. Su larga cola tiene figura de cuña. Sigue a los alcatraces y a veces está sobre su cabeza o espalda. Pone un sólo huevo en un nido rudimentario de paja, que construye en las concavidades de los barrancos.

Gaviotín:

Anida en la isla Darwin y se alimenta al Norte, fuera del archipiélago. Su cola es muy horquillada y el plumaje es blanco y negro.

Garza blanca:

Es una hermosa ave solitaria que mide cerca de un metro de alto, es blanca, de pico amarillo, y patas negras. Las alas son anchas y redondeadas. Cuando vuela estira el cuello hacia adelante y mantiene las patas pegadas al cuerpo hacia atrás.
Su vuelo es lento. Habita cerca de las costas, en áreas húmedas o secas donde caza lagartijas, saltamontes, y pececillos. Construye su nido en los manglares.

Una garza morena refleja su silueta en las tibias aguas del estero.

Aves migratorias

Chorkitejo dorado:

De tamaño medio, con manchas negras bajo sus alas, se lo ve en grupos pequeños.

Polillo blanco de mar:

Es pequeño, con la parte superior café, una franja a través de sus ojos y patas amarillas. Es común en la costa y tierra adentro.

Zarapito:

Es un ave zancuda color café, de pico largo y encorvado y de patas largas. Emplea para comunicarse una serie de silbidos.

Agachadiza:

Ave zancuda de tamaño mediano con la espalda café oscuro y una franja blanca a través de sus ojos; amarilla por debajo, de pico largo y delgado y patas amarillas. Cuando vuela, las alas y la cola ocultan sus manchas. Es común en las costas rocosas.

Arenario:

Zancuda gris pálida o blanca. Se la puede ver en el filo del agua en las playas de arena. Tiene, además, una marca negra en la curva del ala y patas negras.

Falaropo común (norteño):

Pájaros grises o blancos, visibles en bandadas en alta mar.

Gaviota de Franklin:

Es ave migratoria. El adulto tiene el cuerpo blanco y alas grises con puntas negras. La mayoría de los miembros de esta especie vistos en Galápaos son jóvenes. Tienen un color oscuro sobre la cabeza.

Playero enano:

Ave café del tamaño de un gorrión con una tenue franja en el ala. Patas amarillentas o negruzcas. Se la ve en las playas.

Los pinzones de Darwin: la clave de la evolución

Los pinzones de Darwin, pájaros aparentemente sin ningún interés serían los catalizadores de una "crisis" que haría avanzar a la ciencia.

A pesar de sus escrúpulos, Darwin encontró una verdad tan evidente, no obstante de poner en cuestión todo un sistema de pensamiento edificado sobre el Génesis de la Biblia, tenía que ser expresada y sistematizada.

En su primer libro, Viaje alrededor del Mundo, donde relata las expediciones del Beagle, Darwin apenas los menciona. Por su parte, el capitán Colnett en 1793 escribe: "En las islas no habitan gran variedad de aves terrestres, y las que ví no eran llamativas ni por su aspecto ni por su belleza".

El primer indicio lo habían dado las tortugas, con sus rasgos variados de isla a isla, que daban cuenta de la variabilidad de las especies. Al reelaborar sus

Pinzón, una de las más notables especies de Galápagos.

notas, Darwin reparó en la semejanza que había entre todas las especies de pinzones, que sólo se diferenciaban por la forma del pico.

En este grupo de insignificantes pajaritos podemos observar uno de los más bellos experimentos de la filogenia. La especialización producida entre ellos se debe a una particular forma de adaptación a las posibilidades de vida que encontraron en las islas.

No se sabe si los pinzones de aquella época eran comedores de semillas o de insectos, pero es evidente que en el momento que el alimento no fue suficiente, algunos de ellos debían pasar hambre o buscar otro tipo de alimento.

Una isla sólo puede mantener a un número determinado de comedores de semillas, pero seguramente quedaba espacio para aves que se alimentaron de insectos o semillas de cáscara dura o que pudieran extraer larvas de insectos de los troncos de los árboles, que no son accesibles a otros insectívoros. Y así fue desarrollándose en unos, un pico curvo, y en otros lugares, agudos, o vigorosos y cortos, hechos para una especialización diferente en la obtención de su alimento.

Existen trece especies agrupadas en cinco géneros. En el grupo superior están representados los pinzones que viven casi esclusivamente de insectos.

El pinzón insectívoro (certhides olivacea) busca entre las ramas, las hojas o la vegetación herbácea, pequeños insectos a los que captura con su fino pico, incluso en el aire.

Un pinzón picotea un cactus en busca de alimento.

El segundo pinzón es insectívoro (catospiza pallida) representa en las Galápagos, por su forma de vida, a los pájaros carpinteros que aquí no existen. Trepa por los troncos, y ensancha con su poderoso pico recto, hendiduras y desgarraduras. Cuando ha ahuecado el tronco, captura las larvas de insectos, con un método único, coge una espina de cacto de la longitud adecuada y escarba a todo lo largo de a hendidura hasta que el insecto sale fuera. Deja después la espina a un lado y captura su botín. Incluso algunos de estos pinzones, antes de comenzar a su trabajo, almacenan algunas espinas para tenerlas disponibles en cualquier momento. El pinzón de los manglares (cactospiza heliobates) tiene un pico muy parecido, vive de insectos y también utiliza un instrumento para capturar los insectos, como el pinzón carpintero.

Este pájaro hace su hábitat en los manglares costeros de las islas.

Pinzón de las islas.

El gran pinzón arborícola (camarhynchus pasittacula), el pinzón intermediario arborícola (camarhynchus pauper) y el pequeño pinzón de los árboles, están menos especializados. Se alimentan no sólo de insectos, sino también, de bayas y hojas. Esta semejanza de su pico con otros pinzones vegetarianos indica más un parentesco próximo que un mismo modo de vida.

El pinzón del suelo, de pico afilado, (geospiza difficilis) vive en Santiago, Santa Cruz y Pinta, en los bosques húmedos. Escarba en el suelo, entre la hojarasca y busca insectos, gusanos y otros animales parecidos, pero también come bayas. Vive en la Genovesa, en Darwin y en Wolf, donde habita las regiones bajas y secas, se alimenta de semillas. En Darwin también se alimenta de cactos y según se ha comprobado recientemente también absorbe la sangre de los alcatraces, cuya piel pica entre las plumas.

"Cuando se observa esta gradación y diversificación de estructuras en un pequeño grupo de pájaros estrechamente emparentados entre sí puede uno imaginarse que debido a una escasez original de pájaros en este archipiélago, una especie llegará a modificarse por diferentes caminos".

Charles Darwin.

Las especies que se especializan en alimentación vegetal tienen el pico más robusto, como el pinzón grande, el mediano y el pequeño de suelo (geospiza magnirostris, geospiza fortis, geospiza fulginosa). Estas tres especies se alimentan de toda clase de semillas.

En Darwin también comen cactos y como alimento accesorio, cazan insectos.

El pinzón grande de los cactos (geospiza sonorostris) se alimenta de semillas esporádicamente de insectos. La especie ha producido como en algunos otros pinzones, razas especiales y en la isla Darwin sustituye al pinzón grande del suelo, ausente allí, y posee un pico vigoroso como aquel.

El pinzón de los cactos (geospiza scandens) picotea con su largo pico entre las flores, de donde extrae néctar e insectos y come además los frutos jugosos de las chumberas, junto con las semillas.

El pinzón vegetariano arborícola (camarhuchus crassirostris) con un pico que recuerda el de un papagayo, se alimenta casi exclusivamente de hojas y frutos y rara vez como insectos.

Los pinzones, tan parecidos entre sí se reconocen utilizando el pico de su pareja. Las especies con picos muy diferentes se reconocen de inmediato y si alguna vez se equivocan, se deshace el equívoco estrechando los picos como en la operación de alimentación, con la cual, el pinzón macho se compromete a colaborar en los cuidados de la descendencia.

Al parecer sólo la tendencia a utilizar instrumentos (en el caso de los pinzones carpinteros) es innata, mientras que los pormenores de la técnica es una cuestión de aprendizaje. Un empleo tan desarrollado de instrumentos como el de los pinzones carpinteros resulta una particularidad muy poco frecuente, ya que de todos los animales, el único que evidencia un uso desarrollado de instrumentos y utensilios, es el mono.

En general, los pinzones son pequeños y de cola corta, son de color gris castaño en ambos sexos o coloreados total o parcialmente de negro los machos. El pinzón papamoscas es el único que se aparta de este tipo fundamental. Entre los muchos caracteres comunes figuran el construir nidos cubiertos, poner huevos moteados de color blanco o rosa, y vivir en parejas. Todos delimitan su territorio y cortejan ofreciendo material para construir el nido, y al mismo tiempo dar de comer a las hembras.

En Tristán de Cunha, en el Atlántico Sur, ha ocurrido, a menor escala, un proceso similar a los pinzones. Allí viven dos especies del género neospiza que se distinguen uno de otro, claramente, por el tamaño y la forma del pico.

Las mutaciones se imponen con el transcurso del tiempo y de acuerdo al uso dado al espacio por los distintos grupos de pájaros, que a medida que evolucionan de una manera diferente, tienen menos contacto con las otras especies "competidoras". El aislamiento de las especies de cada isla determinó esta nítida diferenciación, pero también es posible (como ha ocurrido no sólo con los pinzones, sino con las tortugas por ejemplo) que en una misma isla se desarrollan por separado especies distintas. Sólo hace falta que un mutante desarrolle una tendencia especial a incubar en una época o en un distinto biotipo que la forma original.

Galápagos: un ecosistema amenazado

Cada isla del archipiélago conforma un ecosistema particular; una serie de relaciones especializadas entre los seres que se han adaptado dificultosamente a la naturaleza volcánica y aislada de las islas. Relaciones cuyo precario equilibrio, ha sido alterado muchas veces violentamente con la presencia de los seres humanos y de animales exóticos, lo cual ha producido la extinción de algunas especies y la amenaza de otras.

La presencia humana ha sido un gran motivo de alteración; la introducción de cultivos ha significado la destrucción de importantes comunidades vegetales; el abuso o la acción inconsciente ha producido una considerable reducción y degradación del paisaje y de los ecosistemas insulares, preservados hoy por la acción científica de los organismos encargados de la defensa del Parque Nacional.

Los navegantes españoles, ingleses, norteamericanos y más tarde coleccionistas, colonos y turistas, atentaron durante siglos contra las especies.

Los galápagos fueron las primeras víctimas de piratas y bucaneros ingleses en el archipiélago. La explotación inmisericorde de los indefensos reptiles provocó la extinción de algunas especies, que eran almacenadas por miles en las bodegas de los barcos mientras sus captores realizaban largas travesías, primero tras los galeones españoles, más tarde en la caza de la ballena.

De los libros de navegación se han obtenido cifras impresionantes: en 189 visitas de 80 barcos, fueron capturados 13.013 galápagos. En 1831, un sólo barco sacó de la Española 335 animales en cinco días.

Las hembras que bajan a las zonas secas de las islas en los períodos de incubación, fueron las que en mayor número sucumbieron a la depredación humana. Townsed, en 1925 afirma que un buque ballenero sacó de la isla Santiago 14 toneladas de galápagos (más de 400 animales) y de éstos, sólo tres eran machos.

El maravilloso equilibrio natural de las islas.

Lobos de dos pelos, una de las especies amenazadas por la extinción.

Galápagos, un ecosistema amenazado.

Oficinas de la Estación Charles Darwin, empeñada en la protección de la vida natural del Archipiélago.

Los coleccionistas también hicieron su agosto en Galápagos, y contribuyeron considerablemente a la reducción de su número aunque también permitieron un mejor conocimiento de las islas.

La colonización iniciada por el Ecuador desde 1832 también significó la reducción del número de galápagos. Darwin en su visita a la Floreana en 1835 cuenta que los colonos tenían como principal alimento la carne de tortuga, a pesar de existir allí cerdos y chivos salvajes.

Se considera que alrededor de 20 galápagos eran sacrificados cada año sólo en Santa Cruz, hasta 1971. En todas las islas se encuentran aún osamentas de tortugas abandonadas. Los métodos para matarlas no eran nada delicados, los abrían estando vivos y muchas veces se les practicaban cortes para ver si estaban gordos, y en caso contrario, se les dejaba libres para otra ocasión. La creencia aún sustentada por los habitantes de las islas, de que el hígado y el aceite transmitían longevidad a quienes lo ingerían, contribuyó también a esta irracional tarea de exterminio.

Dos de las razas del galápago gigante han desaparecido de Floreana y Santa Fe. En Pinta parecía exinto hasta diciembre de 1971, cuando un sobreviviente fue trasladado de allí a la Estación Charles Darwin.

En la Isla Fernandina en 1906 fue encontrado un viejo macho y en 1964 algunas huellas en el declive suroeste del volcán. En febrero de 1970 se realizó un viaje con el propósito exclusivo de encontrar el geochelone elephantopus phantastica, pero sin resultado positivo.

En Fernandina la desaparición de los galápagos se debe, a diferencia de las otras islas, solamente a la acción volcánica, ya que la isla no ha sido habitada por seres humanos.

En total, los sobrevivientes no pasan de 10.000 de un total original que se pudo cifrar en los 500.000 animales.

Los lobos de dos pelos (arctocephalus) eran otros de los botines preferidos por su valiosa piel. En la actualidad quedan escasas colonias de estos animales, restringidas a islas. Las iguanas, las palomas y pinzones y hasta los flamencos, han ido a parar al almuerzo de los piratas, bucaneros y colonos.

Descripción de comunidades biológicas

La colonización produjo un grave impacto ecológico. La introducción de plantas y animales exóticos han reducido la posibilidad de sobrevivencia a muchos animales. El fuego y los animales introducidos han destruido habitantes completos en las islas.

Algunos elementos menores de la fauna han desaparecido, como el cienpiés que habitaba los alrededores de Bellavista y el "pata pegada" (pterodroma).

Animales exóticos fueron introducidos desde la época de los piratas, cuando, según se cuenta, "El Virrey del Perú, conocedor de que los piratas británicos tenían provisiones y cabras vivas, envió una expedición a destruir las vituallas y a poner perros para que matasen a las cabras" (Heyerdahl, 1956). Pero su mayor dispersión se produjo en la época de Villamil cuando al abandonar los últimos colonos de esa época las islas, después de una serie de actos de violencia, Villamil ordenó el traslado del ganado y su libre cría en varias islas para facilitar la llegada de nuevos colonos en épocas posteriores.

Las islas están pobladas en la actualidad de cabras, perros, cerdos, ratas, aves de corral, gatos, ratones, ovejas, caballos, burros, hormigas y cucarachas. Los perros y gatos atacan a las mansas aves, destruyen sus nidos y los de galápagos y tortugas marinas. Los perros incluso se comen a las tortugas pequeñas y a las iguanas. Una gran población de perros salvajes existe aún en los volcanes: cerro Azul, Sierra Negra (en el sur de Isabela, al noreste de San Cristóbal y Santa Cruz). De la misma forma, gatos y cerdos salvajes se alimentaban de la fauna. La rata negra introducida (rattus rattus) es común en muchas partes del archipiélago, y ataca a los tiernos galápagos que salen de sus nidos, y debido a su depredación, en la isla Pinzón ya no existen galápagos jóvenes, sino unos pocos adultos. La rata negra ha exterminado también a la rata indígena, que se encontraba en: Santa Cruz, Baltra, Santiago y San Cristóbal, donde ahora sólo se encuentra el rattus rattus y el ratón (mus musculus), que seguramente fueron introducidos por las primeras embarcaciones que visitaron el archipiélago.

En el volcán Alcedo abundan burros, que compiten con los galápagos por el alimento y el agua, usan las áreas terrosas (lugares donde los reptiles endurecen la tierra y pisotean los nidos).

En Sierra Negra existen caballos en estado salvaje y en Isabela, cerca de Puerto Villamil, las ovejas han sido eliminadas por los perros.

Los más dañinos de los animales son sin duda las cabras, que han destruido la vegetación de Santa Fe donde se ha originado un verdadero proceso regresivo; compiten con gran ventaja por los alimentos con los galápagos en Santa Cruz y la Española; están convirtiendo en tierra yerma la vegetación de Pinta y algunos sectores de Santiago y Marchena (Juan Black "Galápagos, Archipiélago del Ecuador"). Su trabajo de destrucción resulta tan afectivo debido a que la escasez de follaje aumenta la radiación solar en el suelo y resta albergue a especies animales pequeñas.

Los chivos son muy numerosos en Santa Cruz y Española, y lo fueron también en Santa Fe y Pinta. Igualmente, se encuentran en San Cristóbal, y al sur de Isabela, Marchena y Baltra. En Santa Fe las cabras dejaron en pie solamente a los grandes opuntia y el palo santo, que poco a poco va decayendo en medio de la pobreza del medio ambiente roído por estos dañinos animales.

El turismo incontrolado puede afectar a la ecología de las islas.

Asno salvaje de la isla Isabela.

◀ *El Archipiélago de Colón es un Patrimonio Natural de la Humanidad que exige protección.*

El inigualable paisaje de Galápagos, pleno de luz y paz.

En la isla Pinta la presencia de los chivos introducidos por unos pescadores de San Crsitóbal, ha producido un verdadero desastre ecológico. La población caprina ha ido tomando toda la isla y se calcula que en la actualidad pueden pasar de los 30.000.

En esa misma alarmante proporción ha ido desapareciendo de la isla gran parte de la vegetación, donde sólo sobreviven los altos helechos de la cima. Las hormigas y las niguas son otros animales exóticos que se han integrado, con perjuicio para las especies nativas y la fauna insular.

Los animales introducidos resultan en todos los casos dañinos a las especies naturales de Galápagos, ya que éstas han evolucionado a través de millones de años en un frágil ecosistema que se rige por leyes naturales determinadas y específicas, y que en los últimos siglos ha visto alterado violentamente su equilibrio.

También algunas plantas exóticas, por su dominio sobre las nativas se han multiplicado invadiendo zonas de reserva ecológica, transformando considerablemente el paisaje natural, pero permitiendo al mismo tiempo, el abastecimiento de los habitantes de las islas, que de otra manera estarían obligados a traer todos los elementos necesarios para su sobrevivencia desde el continente.

De allí la enorme importancia de la labor realizada por el Parque Nacional de Galápagos y la Estación Charles Darwin, encargados de la defensa y control de las especies insulares y de tomar todas las medidas conducentes a la realización de un turismo controlado en las islas.

Gobierno

El archipiélago de Galápagos, una vez descubierto por el Obispo Tomás de Berlanga en 1535 y por hallarse comprendido dentro de la línea establecida por el Tratado de Tordesillas entre España y Portugal —a raíz de la Bula de Alejandro VI, de 4 de mayo de 1453— era una de las pertenencias de la corona española.

Proclamada la independencia del Ecuador en 1822, las islas quedaron como territorio de nadie (Res-Nullius). Al disolverse la Gran Colombia en 1830 el Ecuador tomó posesión de las islas el 12 de febrero de 1832, denominándolo Archipiélago del Ecuador, soberanía que reconoció España en el Tratado de Paz, firmado en Madrid el 16 de febrero de 1840.

Incorporado el archipiélago a la República del Ecuador, en 1832, el general José Villamil fue nombrado gobernador.

El 29 de mayo de 1861 García Moreno lo declara "provincia", con la capital en la isla Floreana.

En 1885 se dicta la ley de Régimen del Archipiélago y se crea la Jefatura Territorial, con dependencia de la provincia del Guayas. Posteriormente, en 1928, queda como territorio encargado al Departamento de la Marina del Ministerio de Defensa Nacional.

El 21 de septiembre de 1942, el congreso ecuatoriano expedía un Proyecto de Decreto, mediante el cual se elevaba a Galápagos a la categoría de "provincia". El proyecto no prosperó, porque precisamente el mismo día "los Estados Unidos habían adquirido derechos militares" sobre las mismas.

Finalmente, el 18 de febrero de 1973, el archipiélago nuevamente es declarado provincia con el nombre de Galápagos, para lo cual el presidente, general Rodríguez Lara, se trasladó a Puerto Baquerizo Moreno, nueva capital provincial de la isla San Cristóbal, para firmar el Decreto de provincialización, desde entonces a la fecha mantiene categoría de tal.

División política

Según la División Política Territorial de la República del Ecuador de 1977, la provincia de Galápagos se divide en tres cantones: San Cristóbal, Isabela y Santa Cruz. La capital provincial es Puerto Baquerizo Moreno, creada el 18 de febrero de 1973.

San Cristóbal tiene como cabecera cantonal Puerto Baquerizo Moreno y las parroquias rurales de El Progreso e Isla Santa María (Floreana). Bajo la jurisdicción de este cantón constan las islas: Española (Hood), Genovesa (Tower) y Santa Fe (Barington).

Isabela tiene como cabecera cantonal a Puerto Villamil y como parroquia rural a Tomás de Berlanga o Santo Tomás. Bajo su jurisdicción constan las islas: Charles Darwin (Culpepper), Fernandina (Narborough) y Teodoro Wolf (Wenman).

Santa Cruz tiene como cabecera cantonal Puerto Ayora y la parroquia rural Bella Vista. Bajo su jurisdicción constan las islas: Baltra, Marchena (Bindloe), Pinta (Abigdon), Pinzón (Duncan), Rábida (Jervis) y Santiago (San Salvador o James).

◀ *Puerto Baquerizo Moreno, capital de la provincia insular de Galápagos.*

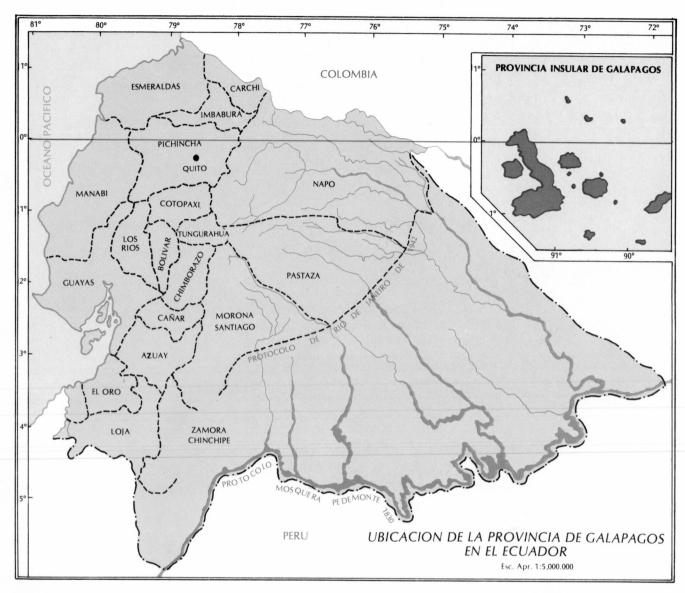

UBICACION DE LA PROVINCIA DE GALAPAGOS
EN EL ECUADOR

Esc. Apr. 1:5,000.000

**SITUACION DEL ECUADOR
EN LA AMERICA DEL SUR**

ESC. APR. 1: 60,000.000

Población

El cuadro poblacional que se podría hacer a base de la clasificación de sus habitantes es diferente al de otras áreas pobladas en la que el número de habitantes es más o menos fijo y su gran mayoría se considera como residentes.

En Galáplagos algunos pobladores fueron voluntarios y se radicaron en su suelo; otra parte formó lo que podría denominarse "población accidental". Esta la constituyen dos grupos: la mayoría por los presidiarios que cumplían su condena en una de las dos colonias penales que existieron y, el otro grupo, más reducido, por peones u obreros llevados con engaño por un tiempo fijo, que tampoco tenían deseos de afincarse, sino de regresar al continente, en la primera oportunidad.

Algunos de ellos, si la fortuna les era favorable, se quedaban. Según el censo realizado por los profesores de las islas en 1972, en la provincia de Galápagos exitían un total de 3.438 habitantes, a los que suman unas 1.000 personas que se movilizan de las islas al continente (población flotante).

Puerto Baquerizo Moreno: edificio de la Gobernación.

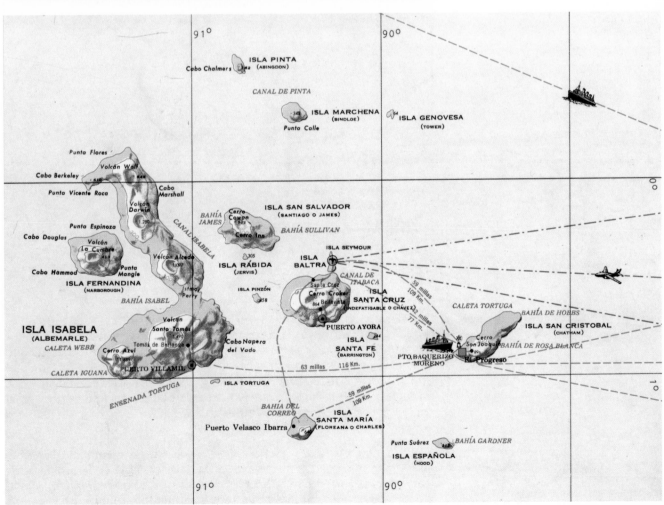

Cinco de las islas son pobladas: San Cristóbal, Santa Cruz, Isabela, Floreana y Baltra. En las cuatro primeras islas, los habitantes están distribuidos en los puertos (playeros) y en la parte alta cultivada. En su mayoría son colonos del continente, venidos particularmente de la sierra, aunque hay personas adultas y muchos jóvenes y niños nacidos en el archipiélago.

Como pobladores se cuentan también algunos extranjeros, especialmente en Santa Cruz.

POBLACION SEGUN EL CENSO DE 1982

TOTAL PROVINCIAL 8.399

		Hombres	4.951
		Mujeres	3.448

Cantones	Parroquias	Población	
San Cristóbal			3.656
	Puerto Baquerizo	2.513	
	El Progreso	983	
	Isla Santa María	160	
	— Isla Española		
	— Isla Genovesa		
	— Isla Santa Fe		
Isabela			863
	Puerto Villamil	641	
	Tomás de Berlanga	222	
	— Charles Darwin		
	— Fernandina		
	— Teodoro Wolf		
Santa Cruz			3.880
	Puerto Ayora	3.127	
	Bellavista	753	
	— Baltra		
	— Marchena		
	— Pinta		
	— Pinzón		
	— Rábida		
	— Santiago		

Legislación

Diversas políticas se han establecido ante la necesidad de preservar la naturaleza de las islas del peligro que significa la introducción de elementos extraños a su naturaleza. El más significativo signo de preocupación en ese sentido, ha sido la denominación de Galápagos como Patrimonio Natural de la Humanidad por parte de la UNESCO en el año 1978, bajo el gobierno de las Fuerzas Armadas (1972-1979).

Puerto Baquerizo Moreno. ▶

Catedral de Puerto Baquerizo Moreno.

En 1934 existe en nuestra legislación la primera ley que se ocupa del archipiélago: en la parte Tercera del Reglamento de pesca y Cacería Marítima, relacionada con la cacería en el archipiélago, se señala que las islas: Española, San Salvador, Pinzón, Santa Fe, Rábida, Seymur, Daphne, Genovesa, Marchena, Pinta, Wolf, Darwin, y una parte de la isla Isabela, serían declaradas por un período ilimitado, como "Asilos Reservados y Parques Nacionales" para toda clase de aves, reptiles, tortugas terrestres, galápagos, tortugas marinas, iguanas, o cualquier otra especie de vida zoológica residente o migratoria. Se prohibía: coger, perturbar, hacer daño o matar y turbar la tranquilidad de las especies de las islas.

La foca de dos pelos, el león marino, la iguana marina, la iguana terrestre, la tortuga terrestre, el albatros, el pingüino, el cormorán, el flamenco, el patillo y las palomas, eran considerados animales intocables por los visitantes, a quiene se les exigía desde entonces obtener permiso legal en Puerto Baquerizo Moreno para incursionar en aguas del archipiélago, recordándoles la obligación de respetar las leyes de la República y en especial las que gobiernan la protección de las especies de la fauna insular. Uno de sus artículos limita a tres de los animales que pueden ser capturados con fines científicos.

(Poder Ejecutivo N.° 607, Doctor Abelardo Montalvo, Encargado del Poder Ejecutivo, Registro oficial N.° 257 del 31 de agosto de 1934).

Puerto Ayora: Comisaría Nacional del cantón Santa Cruz.

En 1936 se da un paso más efectivo con la declaración de parques nacionales de reserva para la fauna y la flora de Galápagos a las islas: Española, San Salvador, Pinzón, Santa Fe, Rábida, Seymur, Daphne, Genovesa, Marchena, Pinta, Wolf, Darwin, Santa Cruz e Isabela; desde Punta Albemarle al Itsmo Perry.

Cuando se celebró el primer centenario de la publicación de "El Origen de las Especies", de Charles Darwin, en 1959, se promulgó el Decreto Ley de Emergencia N.° 17, del 4 de julio de 1959. (Publicado en el Registro Oficial N.° 873 del 20 de julio de 1959, administración del doctor Camilo Ponce).

El Decreto establecía la declaración de "Parques Nacionales de Reserva de exclusivo dominio del Estado, para la preservación de la flora y la fauna, todas las tierras que forman las islas del archipiélago de Colón o Galápagos: exceptuándose de dichas zonas de reserva las tierras poseídas a la fecha por los colonos del archipiélago y las que hubieran sido ya legalmente adjudicadas por el Estado..."

Se prohíbe la caza y captura de: galápagos, iguanas marinas o terrestres, pingüinos, albatros, cormorán, piqueros, patos, gaviotas, flamencos, tórtolas, lechuzas, gavilanes, pinzones, león marino, focas de piel y ratas.

Se faculta al Departamento de Caza y Pesca prohibir la caza o pesca de cualquier especie no comprendida en la lista anterior, cuando haya peligro de extinción.

Puerto Ayora: Jefatura Política del cantón.

Señala a los tenientes políticos como jueces competentes para el juzgamiento de infracciones, pero estas fueron sustituidas por los capitanes de puerto con Decreto N.° 22 del 18 de mayo de 1960.

En los antecedentes a la promulgación de este decreto, se indica la conveniencia de preservar las islas, por su origen volcánico, fauna y flora únicas, las pocas facilidades del archipiélago para la agricultura y ganadería (por falta de agua dulce) el interés para la ciencia y el desarrollo futuro del turismo mundial y evitar la adquisición de tierras para colonización, pues en la parte continental existía tierra suficiente para la explotación económica.

La aprobación del funcionamiento de la Estación Científica Charles Darwin en Santa Cruz y el compromiso entre la Fundación Charles Darwin y el gobierno ecuatoriano, (Registro Oficial N.° 181, 15 de febrero de 1964) encargó a la primera investigación científica y la preservación de flora y fauna del archipiélago.

En el mismo año de 1964, con el Decreto N.° 523, se faculta a la Estación Darwin la determinación de las zonas de reserva o monumentos naturales en las islas: Santa Cruz, Isabela, Española, Santa Fe y otras que creyera conveniente. Se autoriza también el control y exterminio de animales que alteren las condiciones ambientales y dañen la flora o la fauna; prohíbe la lotización espontánea con fines agrícolas, el desmonte y el fuego en las zonas protegidas, así como el uso de insecticidas, el intercambio de animales nativos entre las islas y la introducción de animales desde el continente.

En 1970, se pone en vigencia la Ley de Protección de la Fauna Silvestre y los Recursos Ictiológicos. Esta Ley amplía la prohibición de caza, matanza y comercio de ejemplares de la fauna nacional que corresponden a especies raras en el mundo, así como el uso de insecticidas, herbicidas, o fungicidas que pueden ocasionar la muerte de la flora y fauna nativas y endémicas, y prohibe las actividades que causen daño en las reservas y parques nacionales.

El Ministerio de Agricultura y Ganadería, emitió un acuerdo reglamentando la Ley anterior; nombró una Comisión Nacional Protectora de la Fauna Silvestre y los Recuros Ictiológicos y facultando al Servicio forestal para la ejecución de los reglamentos de caza y pesca (Acuerdo Ministerial N.° 706, 28 de mayo de 1971).

En 1971 el presidente Velasco Ibarra firma el Decreto 1.306 en el que señala que los monumentos naturales: bosques, áreas y demás lugares de especial belleza, ubicación o interés científico nacional se consideran de utilidad pública y serán delimitados y declaradas zonas de reserva, o parques nacionales.

Prohíbe la explotación: agrícola, ganadera, forestal, de caza, minera, pesquera o de colonización, debiendo utilizar exclusivamente para fines turísticos y científicos. Establece el cobro de dinero por ingreso a las reservas y parques, para el mantenimiento de los mismos y se constituye un Comité de Parques Nacionales.

En el artículo 16 de la Ley se señalan una serie de infracciones en que incurren todos los visitantes por incumplimiento de las normas de visita dentro de los límites de las zonas reservadas.

Con la creación de la provincia de Galápagos se señala la obligación de las autoridades provinciales de proteger en coordinación con las instituciones y organismos competentes, la fauna y flora y prestar la cooperación necesaria para la defensa y conservación de las mismas.

Sucursal del Banco Nacional de Fomento en Puerto Ayora.

El INGALA fue creado mediante Decreto Legislativo publicado en el Registro Oficial 131 del 21 de febrero de 1980, con el propósito de desarrollar todas las acciones tendientes a lograr el bienestar del hombre, la protección y preservación de la naturaleza, el ordenamiento turístico y el aprovechamiento de los recursos explotables del Archipiélago de Galápagos.

El ingala: instituto Galápagos

Las actividades proyectadas por la institución cuentan con fondos provenientes del Fondo Nacional de Participaciones, de las Rentas del Petróleo y del Presupuesto General del Estado. Además, la institución está formalizando una serie de convenios con otras instituciones y ministerios para realizar todo tipo de programas de mejoramiento y desarrollo de las infraestructuras de la provincia insular. Entre sus funciones se encuentran: asesorar permanentemente a los municipios de la provincia en todos los campos. Comenzó su labor evaluando las necesidades del archipiélago, especialmente de su población.

Los problemas detectados por el INGALA en las islas son los siguientes:

1. Falta de conocimiento objetivo y sistemático sobre aspectos socio culturales.
2. Mal manejo del espacio físico en las áreas de colonización.
3. Deficiencias en el abastecimiento interno.
4. Deficiencias en la producción con posibilidades de exportación.
5. Empleo clandestino de los insumos y recursos agropecuarios.
6. Servicios sociale incompletos.
7. Deficiencias estructurales, especialmente en medios de comunicación, transporte, dotación de agua potable, sistemas de evacuación de aguas servidas, electrificación, etcétera.
8. Actividades incompletas de preservación (de la fauna y flora galapagueñas).

Puerto Baquerizo Moreno: edificio del Instituto Nacional Galápagos —INGALA—.

Instalaciones del INGALA.

Entre otras actividades a cargo de este organismo está la planificación y racionalización del turismo en las islas. Los técnicos del INGALA consideran que el movimiento turístico está regulado en base a reglamentaciones obsoletas y que no se ha definido una política turística coherente. Los visitantes —extranjeros y ecuatorianos de altos ingresos— no cuentan con las facilidades de carácter local que les permita conocer en forma adecuada las peculiaridades de las islas y sus regulaciones por falta de alojamiento acorde a sus exigencias.

Así, existe el riesgo de que se incremente el turismo sin una adecuada orientación ni suficientes medidas preventivas, lo que pondría en serio peligro el equilibrio ecológico de las islas.

Con este propósito, el INGALA ha previsto como uno de los pasos prioritarios, la dotación de ayuda financiera a la Estación Charles Darwin para la realización de estudios específicos de conservación de la flora y fauna galapagueñas. Con respecto a la regulación turística, existe un convenio con DITURIS (Dirección Nacional de Turismo) para fiscalización del Parador Turístico de San Cristóbal y el ordenaiento turístico en el archipiélago.

Uno de los problemas más agudos que sufre Galápagos y que históricamente ha sido la causa de la ruina de numerosas empresas de todo tipo, es la inexistencia de agua potable. Sólo en algunas islas se dispone de agua entubada; en Santa Cruz e Isabela el agua es salobre y la población es abastecida de agua potable llevada en barcos desde el continente. Tampoco existe aún, un sistema de alcantarillado y el sistema de excretas incluye pozos sépticos y letrinas, lo cual significa un evidente peligro para la salud de la población. La electrificación con que cuenta la provincia dispone en torno a grupos termoeléctricos, por lo cual, está sujeta a las disponibilidades de diesel y su empleo es restringido.

En cuanto a las comunicaciones, los servicios entre las islas y el continente son malas, debido a lo obsoleto de los equipos, que no cuentan con el mantenimiento de rigor.

Otro aspecto de infraestructura como: caminos, muelles y aeropuerto, están siendo afrontados por el Instituto.

Entre sus proyectos esenciales se cuenta la preservación de la flora y fauna propias del archipiélago. Con el propósito de cuidar ese museo natural de las islas, se ha planteado la repoblación de especies autóctona que se encuentran en vías de extinción, la realización de seminarios con la participación de los científicos y técnicos de la Estación Charles Darwin y el Departamento de Parques Nacionales.

Con el objeto de elevar el nivel de vida de la población y la racionalización de los recursos ictiológicos se ha previsto la organización y capacitación de los pescadores en: San Cristóbal, Isabela, y Floreana.

En esta perspectiva, se propone organizar la comercialización y el transporte de la producción de las islas y la instalación de camales frigoríficos para evitar el costoso y difícil transporte del ganado en pie. Asimismo, el INGALA, proveerá de recursos y asesoramiento técnico para todo lo que se refiere a producción agrícola, con el propósito de tender al autoabastecimiento del archipiélago que actualmende en gran medida de artículos enviados desde el continente.

Con el objeto de tender al desarrollo humano integral de la población se plantea hacer énfasis en el mejoramiento y desarrollo educacional de la provincia, así como aumentar la infraestructura educativa de ésta.

Isla San Cristóbal: edificios en construcción del INGALA.

Considerando que uno de los recursos básicos de Galápagos es el turismo, el INGALA ha tomado a su cargo la racionalización de la actividad turística, de tal suerte, que sirva como fuente de ingresos sin perjudicar la conservación de las características propias de las islas.

Así, pretende guiar y acomodar a una cantidad especificada de visitantes nacionales y extranjeros de acuerdo a la capacidad y/o vulnerabilidad de las islas, para lo cual es necesario realizar estudios sobre el volumen de turismo que pueden soportar éstas y establecer regulaciones que restrinjan o faciliten el acceso a los turistas de acuerdo a cada caso y circunstancia.

Por otra parte, se propiciará la construcción de hoteles y paradores en los puntos y en la cantidad que determine el Departamento de Parques Nacionales y la Estación Charles Darwin.

La conformación de empresas turísticas pequeñas para turistas de escasos recursos, hará posible en mayor medida que los ecuatorianos tengan acceso a estas privilegiadas islas y, en este sentido, se propiciará la regulación y el control de los monopolios turísticos.

La pesca

Debido a la corriente de Humbolt que baña las islas, la zona de Galápagos es riquísima ictiológicamente, hasta el punto de atraer pescadores de puntos tan lejanos como: Inglaterra, Noruega y Estados Unidos en el siglo pasado, para la pesca de la ballena; y, el Japón y los Estados Unidos para la pesca del atún en nuestro tiempo.

Grandes empacadoras de atún se establecieron en la costa de California, las mismas que tenían sus territorios de pesca precisamente en las Galápagos. La declaración de los derechos territoriales sobre las "Doscientas Millas Marinas" y las multas impuestas a los barcos pesqueros han desanimado a los empresarios de esta industria, pero es de suponer que éstos extraen cantidades de peces de las aguas de Galápagos.

Agricultura y ganadería

Si bien las islas húmedas se prestan para su desarrollo relativo de la agricultura y la ganadería, el hecho de que se les haya declarado zonas de reserva ecológica no permite ninguna acción en este sentido.

Examinando las varias obras escritas sobre el archipiélago, se puede observar el cambio de opinión; pues, antes en tiempos no muy lejanos, se propendía, se reclamaba y se exigía al gobierno la colonización para el desarrollo de la agricultura y ganadería, precisamente.

Habiendo declarado a Galápagos como zona de protección de la vida silvestre, por el contrario, es menester propender al control de los animales depredadores.

Si bien algunos de éstos, como las ratas, son pestes y no entrañan problema alguno su extinción, sin embargo, en el caso de otros animales ariscos o cimarrones no debe ser una solución una matanza en serie.

Muchos colonos objeta, manifestando que con una pequeña inversión el Estado podría instalar un barco frigorífico que pueda ir almacenando todos los animales sacrificados y llevarlos al continente, o vender su carne en cualquier lugar del mundo.

La actividad agropecuaria se encuentra tan centrada en un área de 22.620 Has., que representan el 3,6 % de la superficie total de las cuatro islas principales, donde se encuentran asentados los colonos agricultores, donde viven no más de 1.600 personas.

La agricultura constituye una de las actividades económicas más importantes y esta producción tiende a satisfacer preferencialmente las necesidades de autoconsumo.

Dado el origen de muchos colonos, éstos no han hecho otra cosa que traspasar desde el continente sus esquemas minifundiarios a las islas, aunque sus "chacras" tengan superficies relativamente significativas. La falta de un sentido empresarial está ausente, agravado por las dificultades de mercado y provisión de insumos calificados. No se ha efectuado un estudio de mercado para determinar la demanda alimentaria de la población establecida y "flotante".

El censo de 1974 identificó las mismas variables que el territorio continental, por lo tanto, no es el resultado de un estudio particular para Galápagos.

Pescador de langostas en la isla Floreana.

Escudo y bandera de las Islas Galápagos.

Estructura de la tenencia de la tierra

Se identificaron 333 unidades productivas agropecuarias (UPA), las cuales tenían 18.690 Has. de superficie, a un promedio de 56,1 Has. por unidad. En el Cuadro N.° 1 se aprecia una propiedad superior a 500 hectáreas y 33, con superficies inferiores a cinco hectáreas.

CUADRO N.° 1

ESTRUCTURA DE LA TIERRA, SEGUN TAMAÑO Y SUPERFICIE

RANGOS	NUMERO DE UPA		HECTAREAS	
	N.°	%	Has.	%
UPA S/TIERRA	0	—	0	—
01 a 4,9	33	9,9	97	0,3
5,0 a 9,9	30	9,0	211	1,1
10,0 a 19,9	36	10,8	512	2,7
20,0 a 49,9	93	27,9	2.896	15,5
50,0 a 99,9	96	28,9	6.587	35,6
100 a 199,9	34	10,2	4.288	22,9
200 a 499,9	10	3,0	2.888	15,5
Más de 500,0	1	0,3	1.200	6,4

Esta misma distribución fue tabulada por islas:

CUADRO N.° 2

ESTRUCTURA DE LA PROPIEDAD RURAL SEGUN ISLAS HABITADAS

ISLAS ESTRATOS	S. CRISTOBAL		SANTA CRUZ		ISABELA	
	%UPA	%SUP.	%UPA	%SUP	%UPA	%SUP
0,1 a 4,9	13,2	9,7	4,0	0,1	13,9	0,9
5,0 a 9,9	20,3	2,6	0,8	0,1	3,8	0,5
10,0 a 19,9	13,2	3,2	6,4	1,5	13,9	2,9
20,0 a 49,9	27,9	15,9	23,8	14,4	26,6	17,4
50,0 a 99,9	13,0	20,6	40,8	41,7	34,3	50,4
100,0 a 199,9	6,9	16,6	16,0	30,1	6,3	19,4
200,0 a 499,9	3,3	23,1	3,2	12,1	1,2	8,5
Más de 500,0	0,8	17,3	—	—	—	—

Se pueden deducir las siguientes conclusiones:

— La isla Santa Cruz mostraba un mayor grado de concentración de la tierra y un promedio de superficie por UPA superior.

— La isla San Critóbal, un mayor porcentaje relativo de pequeños agricultores dada su condición de productora hortícola por disponer de agua dulce y tener una ganadería no estabulada.

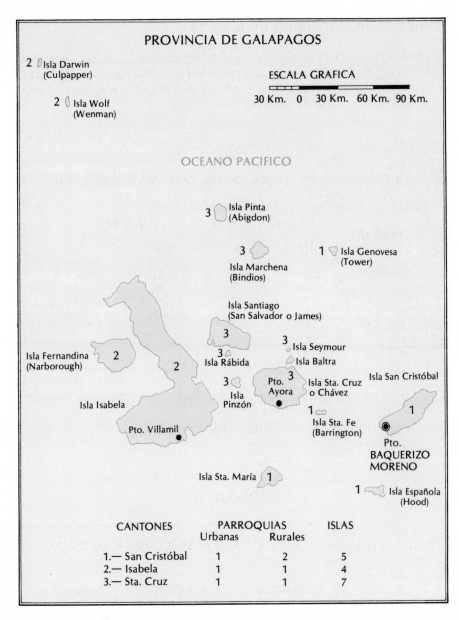

PROVINCIA DE GALAPAGOS

2 Isla Darwin
(Culpapper)

ESCALA GRAFICA

2 Isla Wolf
(Wenman)

30 Km.   0   30 Km.   60 Km.   90 Km.

OCEANO PACIFICO

3 Isla Pinta
(Abigdon)

3 Isla Marchena
(Bindios)

1 Isla Genovesa
(Tower)

Isla Santiago
(San Salvador o James)

3

3 Isla Seymour

3 Isla Rábida
Isla Baltra

Isla Fernandina
(Narborough)
2

2

3

3
Pto.
Ayora

Isla
Pinzón

Isla Sta. Cruz
o Chávez

Isla San Cristóbal

1

Isla Isabela

1

Pto. Villamil

Isla Sta. Fe
(Barrington)

Pto.
BAQUERIZO
MORENO

1 Isla Sta. María

1 Isla Española
(Hood)

CANTONES	PARROQUIAS		ISLAS
	Urbanas	Rurales	
1.— San Cristóbal	1	2	5
2.— Isabela	1	1	4
3.— Sta. Cruz	1	1	7

Cultivos tropicales de la isla Santa Cruz.

Distribución superficie por islas

En el cuadro N.° 3, se presenta la distribución de la superficie y UPAS por islas.

CUADRO N.° 3

DISTRIBUCION DE LAS UNIDADES DE PRODUCCION AGROPECUARIA SEGUN CANTONES

CANTONES	UPAS		PROMEDIOS
	N.°	SUPERFICIE	
San Cristóbal	129	6.964	53,9
Santa Cruz	125	8.187	65,5
Isabela	79	3.539	44,3
TOTALES	333	18.690	65,1

San Cristóbal y Santa Cruz mantenían superficies relativamente similares: 37,3 % y 43,8 % respectivamente, mientras que Isabela contaba con un porcentaje inferior, sólo un 18,9 %. Con respecto a los promedios de superficie por UPA, Santa Cruz mantenía el más elevado (65,5 Has.) y por lo tanto un carácter más concentrador. Isabela sólo mostraba un promedio de 44,8 % hectáreas por predio.

La situación no ha variado significativamente hasta 1981, pudiendo estimarse que ha existido un congelamiento en el número de agricultores (en no más de 400 familias). Los cambios han sido más de tipo cualitativo y se han dirigido en dos sentidos: flujo de agricultores desde el continente, que compran y/o arriendan tierras a colonos afincados; desplazamiento de agricultores hacia "la playa", en busca de alternativas que aseguren la supervivencia familiar frente a la aparición de un naciente pre-capitalismo agrícola. Estas dos tendencias simultáneas de flujo, han derivado en un proceso creciente de inestabilidad territorial con una pérdida del sentido más auténtico de campesinos autosuficientes, frente a la incursión de empresarios agrícolas. Este fenómeno, aún no generalizado, podría tener efectos beneficiosos sólo para unas pocas familias de agricultores "progresistas" que han tenido apoyo en créditos, asistencia técnica y otros beneficios indirectos. Este fenómeno es cualitativamente más notorio en Santa Cruz.

Horticultura mecanizada en la isla Santa Cruz.

◀ *La papaya, deliciosa fruta tropical, se produce abundantemente en las islas.*

I. San Cristóbal: granja experimental del Ministerio de Agricultura.

Usos de suelos

En el cuadro N.° 4, observamos la distribución de los distintos usos del suelo y agrupados sólo en cinco categorías.

Se aprecia en una vocación ganadera en razón del hectareaje predominante de pastos permanentes (40%). Las tierras de labranza se reducen a policultivos que tienden a satisfacer las necesidades familiares y no se han incursionado en el mercado consumidor isleño establecido o flotante, por las dificultades de transporte, ausencia de centros de acopio y discontinuidad en el establecimiento. Hoy en día, se importa desde el continente cebollas, zanahorias, tomates, papas y otros productos agrícolas.

CUADRO N.° 4

PROVINCIA DE GALAPAGOS: USO DEL SUELO SEGUN CANTONES

Cantones	USOS DEL SUELO SEGUN SUPERFICIE EN HECTAREA					
	Tierra Labrz.	Cultivos Permant.	Pastos Permn.	Montes Bosques	Otras Tierr.	Total
San Cristóbal	727	735	2.442	1.003	2.057	6.964
Santa Cruz	1.652	301	3.610	882	1.742	8.187
Isabela	198	280	1.412	1.145	504	3.539

Próspera finca en la isla Santa Cruz.

Cultivo de ajos y patatas en Santa Rosa. Isla Santa Cruz.

Cultivos más importantes

En el siguiente cuadro se presenta la distribución de los cultivos más importantes por islas.

CUADRO N.° 5

PRODUCCION DE LOS PRINCIPALES CULTIVOS SEGUN CANTONES

Productos Cantones	Naranja Tn.	Aguacate Tn.	Banano Tn.	Plátano Tn.	Café Tn.	Papa Tn.	Yuca Tn.
San Cristóbal ...	147	19	168	183	415	21	106
Santa Cruz	39	143	887	139	52	13	69
Isabela	2	5	930	141	133	18	52

Aparentemente se estaba produciendo en cantidades suficientes, pero dicha producción incluye el auto consumo, pérdidas por deterioro y colocación en el mercado local. No se publicaron los porcentajes según destinos finales.

Caficultores de la isla Isabela exhíben su cosecha.

Magnífico cultivo de legumbres en el Cascajo, isla Santa Cruz.

Ganado domesticado en la isla Santa Cruz.

Con respecto a la ganadería la siguiente distribución se presentaba para cada uno de los cantones.

CUADRO N.° 6

DISTRIBUCION DE LA GANADERIA SEGUN ESPECIE

CANTONES ESPECIES	San Cristóbal N.°	%	Santa Cruz N.°	%	Isabela N.°	%	TOTAL %	
Caballar	221	28,7	320	41,5	229	29,8	100	770
Vacuno	2.444	25,7	4.499	47,5	2.552	26,8	100	9.445
Asnal-Mular	419	43,2	311	32,0	241	24,8	100	971
Porcino	365	42,6	372	43,3	120	14,0	100	857
Cabrío	14	36,8	15	39,5	9	23,7	100	38

El ganado vacuno tenía la mayor proporción, destacándose la isla Santa Cruz con 4.500 cabezas. El caballar y mular sirven de apoyo a las faenas agrícolas y su presencia se justifica en la medida que no se permita su acceso a las áreas del parque.

Porcinos y cabríos siguen siendo destinados al consumo familiar.

Para 1980 se estimaba que el número de cabezas de ganado se habría incrementado levemente: así tenemos el siguiente cuadro comparativo:

TIPOS	AÑOS 1.974	1980
Vacuno	9.495	11.081
Caballar	770	847
Porcino	857	866
Cabrío	38	52

De acuerdo a estos datos disponibles, la tasa de aumento anual alcanzaría
un promedio de un 2 % anual, aproximadamente.

A modo de conclusiones parciales, podemos señalar algunas ideas fundamentales:

— Predominio absoluto de la pequeña y mediana propiedad.
— Vocación predominantemente ganadera.
— Rendimientos comparativos con el continente son inferiores.
— La agricultura y ganadería siguen constituyendo una fuente importante de mano de obra.

Hato de ganadería de leche en la isla Santa Cruz.

Comercio

La economía del archipiélago depende de dos polos comerciales: el mercado doméstico y el continental.

El primero es reducido, puesto que poco pueden producir las islas para proveer a los barcos-hoteles que hacen el recorrido turístico. El segundo es más importante, puesto que con él se opera prácticamente el comercio de exportación e importación, especialmente este último.

Galápagos, para sus transacciones comerciales, depende de dos medios de transporte: la vía aérea, que está más volcada hacia el turismo, y, los barcos, que hacen sus viajes de rutina comercial.

Naturalmente, para los colonos que tienen que vender sus productos y traer al continente, el avión, por sus mismas limitaciones de carga, no ofrece las mismas que el barco.

Granja experimental del Ministerio de Agricultura y Ganadería.

ESTIMACION DE LA SUPERFICIE COSECHADA PRODUCCION Y RENDIMIENTO AGRICOLA - AÑO 1980 GALAPAGOS

ARTICULO	SUPERFICIE COSECHADA TM	PRODUCCION T.M.	RENDIMIENTO Kg./Ha.
Fréjol	15	10	667
Maíz duro	100	36	360
Papas	13	147	8.167
Yuca	40	327	8.175
Cebolla	3	12	4.000
Col	4	45	11.250
Lechuga	4	36	9.000
Tomate	6	57	9.500
Aguacate	10	41	4.100
Limón	12	112	9.318
Mandarina	5	41	8.200
Melón	3	24	8.000
Naranja	50	920	18.400
Piña	12	144	12.000
Sandía	12	154	12.833
Cacao en grano	1	334	364
Café en grano	1.252	336	292

Centro Agrícola de El Progreso.

◀ *Magnífico cultivo de caña en la Isla Santa Cruz.*

V.   Educación y deportes

La educación

La mayor parte de los colonos de Galápagos, venidos en una u otra época, proceden de un estrato que ha estado en contacto con un medio en el cual se valora la educación.

En Galápagos el índice de analfabetismo es mínimo (3%).

El interés por la educación se refleja en el número de escuelas existentes en las cuatro islas habitadas: 18 en total, con 840 alumnos (de una población de 6.094 habitantes).

Las islas San Cristóbal y Santa Cruz cuentan también con un colegio cada una, y varios centros de promoción de adultos.

Vale la pena mencionar en este acápite a la Misión Franciscana que viene laborando en el archipiélago desde 1950. La Misión, conjuntamente con el Vicariato Apostólico, tiene a su cargo, además de varios centros educativos, otros centros sociales como el Hospital Oskar Jandle, la Radiodifusora Voz de Galápagos, la Cooperativa Pesquera e incluso, un Museo.

Las distracciones de la población se reducen al: fútbol, voly, billar, cine y baile. Los clubes deportivos y los colegios organizan programas especiales para las fiestas cívicas y religiosas, en las que participa fundamentalmente la juventud.

El deporte insular

La provincia, como las demás del país, dispone de una Federación Deportiva Provincial, institución que cumple funciones similares a las del continente. Es una organización que vela por el desarrollo y mantenimiento del deporte en los tres cantones de la provincia.

Como infraestructura deportiva, dispone de un estadio con graderíos en el cual encontramos una pista para el atletismo y una cancha de fútbol; se encuentra en proceso de terminación un coliseo cerrado para deportes bajo cubierta y en planificación una piscina.

El fútbol, el basquetbol, el ecuavoley y el indorfútbol, son los deportes más practicados en el ambiente insular y en menor escala, el tenis y el ping-pong. Por falta de implementos y recursos económicos, no se puede aprovechar los escenarios naturales de que disponen las islas para la práctica de los deportes aucáticos como el esquí, la navegación a vela, a remo, el fuerabordismo, etcétera.

Existen en las islas dos Ligas Deportivas Cantonales; la de Santa Cruz y la de Isabela. Además, seis clubes deportivos en San Cristóbal, seis en Santa Cruz y cuatro en Isabel.

◀ *Taller de artesanías y manualidades del Colegio Nacional "Galápagos".*

Taller de Metal-mecánica en el Colegio Nacional Galápagos.

Colegio de Ciclo Básico "Galápagos", en Puerto Ayora.

Jugadores de Ecuavoley en Puerto Ayora.

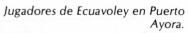

Moderna cancha de tenis en Puerto Baquerizo Moreno.

Estadio de Fútbol en Puerto Baquerizo Moreno.

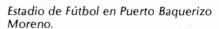

Alumnos de la Escuela "San Francisco de Asis", en Puerto Ayora.

Prácticas de laboratorio en un colegio del Archipiélago.

Natación en uno de los canales de las
islas.

Coliseo de Deportes en la Isla San
Cristóbal.

ESTABLECIMIENTOS DE EDUCACION MEDIA
AÑO ESCOLAR 1982 - 1983

A. FISCALES
1. Básico Urbano:
   — Padre Julio Herrera C.: Santa Isabel.
   — Agustín Askúnaga (nocturno): Santa Isabel.
   — Alejandro Humbolt (nocturno): San Cristóbal.
   — Galápagos (nocturno): Santa Cruz.
2. Humanidades Urbano:
   — Alejandro Humbolt (FM): San Cristóbal.
   — Galápagos: Santa Cruz.

3. Técnico Urbano:
   — Alejandro Humbolt (FM): San Cristóbal.

B. PARTICULARES
1. Técnico Urbano:
   — Santa Cruz (Inglés): Santa Cruz.

Prácticas de basquetbol en Puerto Ayora.

CUADRO DEMOSTRATIVO DE PLANTELES, PROFESORES Y ALUMNOS
—GALAPAGOS—

GALAPAGOS

NIVELES	PLANTELES	PROFESORES	ALUMNOS
Total General	28	125	1.306
Pre-primario	7	7	116
Primario	18	79	840
Medio	3	39	350

TOTAL REPUBLICA

NIVELES	PLANTELES	PROFESORES	ALUMNOS
Total General	12.916	72.904	2.005.928
Pre-primario	539	1.390	42.856
Primario	11.036	39.825	1.427.627
Medio	1.341	31.489	535.445

TOTAL REPUBLICA POR SOSTENIMIENTO

	FISCAL	MUNICIPAL	PARTICULAR
Planteles	9.898	409	2.228
Profesores	51.658	2.351	18.695
Alumnos	1.506.117	82.405	417.406

VI. Cultura y patrimonio cultural

La estación biológica Charles Darwin

Galápagos, como un laboratorio natural de vida animal y vegetal, ha sido un motivo de preocupación de parte de hombres de ciencia y entidades culturales, quines han comprendido su verdadero valor y, últimamente, el destino que debía darse a las islas.

La primera vez que el mundo científico tuvo conocimiento del archipiélgo, fue con la publicación de "El Origen de las Especies", de Darwin, en 1858. En ella el autor mencionaba que aquello que inspiró su famosa teoría de la evolución fue la diversidad de vida silvestre que pudo encontrar en las islas.

Desafortunadamente, esa vida natural había sido alterada por la introducción de elementos adversos a ella, como son los animales domésticos y las especies botánicas ajenas al contorno ecológico. Estas estaban causando graves prejuicios y, en algunos casos, amenazando con la extinción de varias especies únicas en las islas.

En 1930 la expedición norteamericana de Gifford Pinchott, de Pensylvania, sugirió la posibilidad de que destinasen las islas a un refugio de vida silvestre. En 1935 el gobierno ecuatoriano nombró la Corporación Científica Nacional para el Estudio y Protección de las Riquezas Naturales del Archipiélago de Colón, la misma que parece fue inoperante, pues apenas si se conoce de su existencia.

Al cumplirse en 1959 el primer centenario del "Origen de las Especies" se constituyó la Fundación Charles Darwin para las Galápagos por parte de la UNESCO (Organización de las Naciones Unidas para la Ciencia, la Cultura y la Educación), conjuntamente con la Unión Internacional para la Conservación de la Naturaleza y sus Recursos Naturales, a más de instituciones científicas de todo el mundo y, por supuesto, con el patrocinio del Gobierno Ecuatoriano. Ultimamente el WWF (Fondo Mundial para la Protección de la Vida Silvestre).

Para lograr sus objetivos la Fundación realizó el establecimiento de la Estación Biológica Charles Darwin en la isla Santa Cruz, la cual comenzó a funcionar en 1964 y su programa contempla tres aspectos fundamentales: científico, educativo y preservación.

Aspecto Científico:

Existen en la actualidad cerca de 90 estaciones científicas menores, en casi todas las islas, para la obtención de datos que puedan proporcionar información de la vida de las islas, para análisis posteriores.

La Estación ha abierto sus puertas a estudiantes nacionales, que vienen con el propósito de realizar sus estudios o hacer observaciones sobre los programas conservacionistas y ecológicos, o sobre tesis particulares.

Igualmente tienen acceso a la Estación los científicos extranjeros de cualquier parte del mundo que quieran realizar sus investigaciones, orientadas naturalmente hacia campos concretos, como el estudio de: aves, plantas, insectos, mamíferos, etcétera.

◀ *I. Santa Cruz: Interior de la Estación "Charles Darwin".*

El yate oceanográfico BEAGLE IV, de la Estación Científica "Charles Darwin".

Aspecto Educativo:

Se concreta principalmente a una campaña de lo que podría llamarse "concientización" sobre los problemas de conservación de la naturaleza (Educación Ambiental y Conservacionista). Acuden los profesores nacionales de las islas a la Estación, donde reciben información respecto de proyectos, planes y objetivos propuestos. A su vez, transmitirán esta inquietud a sus alumnos, tanto en las escuelas como en los colegios.

En este acápite también se encuentra la preparación de oficiales y guardias del Parque Nacional.

Aspecto de Preservación:

Es el problema más crítico, pues el principal enemigo es el hombre, en cuanto a su conservación se refiere, y los animales introducidos por él: perros, chanchos, ganado, chivos y ratas.

Para ilustrar esto, se cita que en la isla Pinzón la rata negra ataca a los galápagos tiernos y sobre todo destruye sus huevos, como se desprende del hecho de que en los últimos cuarenta o cincuenta años no se haya encontrado un sólo ejemplar de esta especie en la isla. Se ha efectuado una campaña raticida, pero no ha sido posible una exterminación total de las ratas que atentan contra estas especies, sino los chanchos, siendo en este caso necesario construir un cerramiento de piedra de cierta altura alrededor de los nidos. En otras, es la abundancia de chivos, que causan la destrucción de la vegetación. En la Pinta no había ningún animal hasta 1958, cuando se introdujo un macho y dos hembras de ganado caprino. En 10 años, han arrasado casi toda la vegetación y se han reproducido hasta tal punto que, desde 1971-1975 se han casado cerca de 35.000 chivos, quedando todavía miles de ellos viviendo en la isla.

Se ha logrado exterminar esta plaga de los islotes Plaza, en la Rábida y Santa Fe. Se ha reducido notablemente en la Española, Marchena y Pinta.

En San Cristóbal la amenaza la constituyen los perros y gatos. No hay control de estas plagas todavía porque no se encuentra un veneno efectivo.

Otro proyecto en el aspecto de conservación es el control y protección de los galápagos. Debido a la caza incontrolada, tanto por parte de nacionales como extranjeros, llegó casi a extinguirse la especie, como en el caso de la Pinta, en la que se ha encontrado solamente un ejemplar macho. Se espera continuar la búsqueda y tratar de conseguir una hembra para poder repoblar la isla. Afortunadamente los galápagos viven hasta los 200 años, y un animal está en capacidad de reproducirse a los 50 años de edad.

El control se efectúa a base de censo; la protección por la crianza controlada y el exterminio de las plagas que atentan contra la especie.

La Estación, conjuntamente con el Servicio de Parque Nacional, cuenta con un programa de incubación de huevos de tortuga, un criadero especial y, luego, corrales donde los animales se desarrollan hasta los cuatro o cinco años de edad, después de los cuales son devueltos a la isla de origen.

El número aproximado de galápagos en la actualidad es el siguiente: Isabela, 6.000; Santa Cruz, 3.000; Santiago y San Cristóbal, 500 cada una; Pinzón, 150; Española, 13; Pinta, 1; Total: 10.000. Han desaparecido en Floreana y Santa Fe (30).

Compárese estas cifras con el estimado de que si no se hubiese cazado a los galápagos inmisericordiosamente, existirían en la actualidad unos 500.000. Se reporta que en 139 visitas efectuadas por barcos balleneros en 1831 y 1868 se capturaron 13.013 galápagos.

Placa conmemorativa de la Estación Científica "Charles Darwin".

Un sólo ballenero sacó de la Santiago más de 400 animales.

Cabe notar que la Estación Charles Darwin asesora en el aspecto de preservación al Gobierno Ecuatoriano y sobre todo al Servicio del Parque Nacional Galápagos. En vista de que los programas de éste último, chocan a veces con los intereses de los colonos, muchos confunden a la Estación que es puramente científica, con el Parque Nacional, que es un entidad encargada de aplicar las medidas conservacionistas.

Añádase a esto, el hecho de que la Estación ayuda a preparar al personal del Parque Nacional, para acentuar esta confusión.

Otras actividades que realizan conjuntamente estas dos entidades son: la publicación de boletines, conferencias radiales, proyecciones de documentales y transparencias, cursos para guías de turismo, etcétera. En resumen, la Estación Charles Darwin es una institución valiosa dedicada al estudio científico y preocupada de salvar algo muy precioso para la humanidad, como es la vida silvestre del Archipiélago de Colón.

Parque Nacional Galápagos

Al emitir la Ley de Caza y Pesca del País, el Gobierno Ecuatoriano en 1934, incluyó entre sus postulados un artículo de protección de las especies del Archipiélago de Colón.

En 1936 las islas fueron declaradas "Parque Nacional de Reserva para la Flora y la Fauna", pero el decreto tuvo que esperar hasta 1959 para convertirse en realidad, con la creación definitiva del Parque Nacional de Galápagos, el que incluye todas las áreas que constituyen la actual

*Estación Científica "Charles Darwin",
criadero de tortugas.*

provincia de Galápagos, exceptuándose únicamente aquellas áreas que estuvieran en poder de los colonos y que fueran explotadas con fines agropecuarios. Se estableció como meta del Parque Nacional, la preservación de las especies y de los parajes naturales, la promoción de la investigación científica y un desarrollo turístico adecuado.

En 1968 comenzaba sus actividades el Servicio del Parque Nacional bajo la administración del Servicio Forestal del Ecuador.

Las atribuciones principales del Servicio del Parque Nacional son las de asegurar mediante programas y la aplicación de medidas oportunas, la supervivencia de las especies amenazadas con el exterminio.

Una de las medidas prioritarias fue el control del exterminio de especies animales ajenas a las islas que están poniendo en peligro los ecosistemas naturales y la aplicación de métodos científicos para la protección de las especies amenazadas.

La regulación y el control turístico de las islas también se encuentra entre las atribuciones y responsabilidades del Parque Nacional, encargado de que los beneficios económicos que provengan del turismo se armonicen con la protección de la naturaleza.

I. Santa Cruz: instalaciones del Parque Nacional Galápagos.

Puerto Baquerizo Moreno: Museo Nacional.

En Puerto Ayora y en la isla Santa Cruz, se encuentran la base administrativa y el centro de operaciones del Servicio del Parque Nacional, las cuales han sido construidas a poca distancia de la Estación Charles Darwin.

Los planes de investigación y protección han recibido el apoyo de donaciones particulares, el pago de seis dólares por cada turista extranjero que ingresa a las islas y el de dos dólares, correspondiente a los visitantes ecuatorianos y sobre todo, el financiamiento de varios programas por parte de UICN y WWF (Fondo Mundial para la Protección de la Vida Silvestre).

El IERAC concedió títulos de propiedad a los colonos que habitan en las tierras cultivables y desalojó previa indemnización, a los agricultores que ocupaban áreas correspondientes a las zonas de reserva del Parque Nacional en Santa Cruz, aunque estas medidas no pueden asegurar absolutamente que la invasión de tierras deje de producirse.

La difusión del trabajo tanto de la Estación Charles Darwin como del Servicio del Parque Nacional es vital para la defensa de la naturaleza extraordinaria de las islas, y a través del conocimiento que los colonos y turistas reciban acerca de ese complejo universo que constituye el archipiélago, será posible asegurar su existencia.

La Estación Charles Darwin, además de dirigir y coordinar el programa de becas que permite llevar anualmente al archipiélago a estudiantes y profesores de universidades ecuatorianas, provee el asesoramiento técnico en el campo a los becarios por intermedio de su propio personal científico o por medio de científicos invitados que realizan investigaciones en las islas.

Museo "Hermano Miguel", en la isla San Cristóbal. ▶

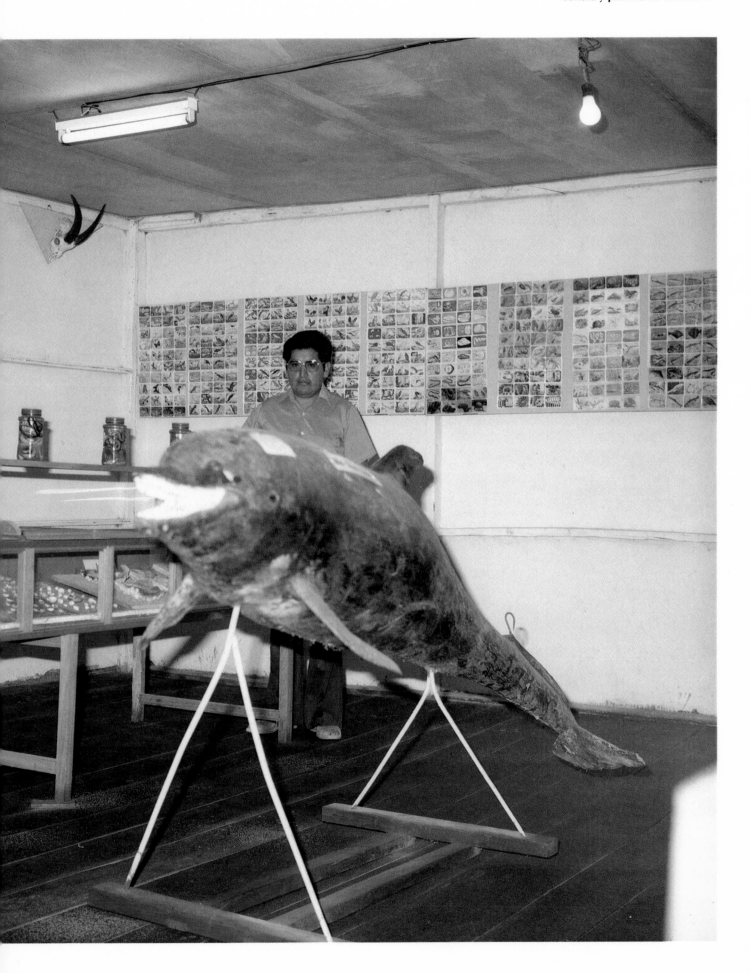

Cómo se cuida la naturaleza:

Entre los lugares protegidos con mayor atención por los miembros del Servicio del Parque Nacional Galápagos y la Estación Charles Darwin, están las lagunas de agua salobre que, a raíz de la organización del Parque, en 1969, fueron declaradas Santuarios Inviolables de las Aves. Declaración que más allá del lirismo fue una respuesta a informaciones venidas de la isla acerca de la inmoderada posesión de ciertos colonos en las pozas y sus orillas, con fines de cultivo y pasto para animales y aprovechamiento de leña, con lo que se ponía en peligro el hábitat de los flamingos y demás aves que viven en ellas.

La declaración resultó oportuna y neutralizó el peligro que amenazaba a estos hermosos lugares, variados "nichos ecológicos" donde es posible la vida de abigarradas comunidades de más de 20 especies identificadas de aves emigrantes.

Uno de los factores de alteración fundamentales en la vida de las islas ha sido el ser humano. Sin embargo, pese a que algunas especies han salido bastante mal paradas a partir de esta nueva y peligrosa presencia, Galápagos sigue siendo uno de los lugares más puros del planeta; reserva ecológica en medio de continentes donde la polución y la contaminación son oscuras nubes que se ciernen sobre el porvenir de la raza humana.

Para preservar este refugio natural para las próximas generaciones el Servicio del Parque Nacional, recomienda observar las siguientes normas:

1. Ningún animal, planta o roca debe ser perturbado o removido. Estas acciones son ilegales y pueden causar serios daños a las condiciones ecológicas de las islas.

2. No transporte ningún material a las islas o de una isla a otra. Cerciórese antes de bajar a tierra, de que su vestido no lleve semillas, insectos o restos, si los hubiera, déjelos en el barco para deshacerse de ellos más tarde.

El transporte involuntario de estos materiales, representa un peligro especial, debido a que cada isla tiene su fauna y flora únicas, y la introducción de cualquier planta o animal, puede destruir rápidamente esta unicidad.

3. Los animales no deben ser tocados ni acariciados, a todos les disgusta esto, y pueden perder rápidamente su extraordinaria docilidad al ser tratados así por los visitantes.

4. No se debe dar ningún alimento a los animales, no solamente puede ser peligroso para los visitantes, sino que también perjudica la estructura social de los animales; tal es el caso de las iguanas terrestres de la isla Plaza Sur.

I. Española: un piquero patas azules junto a su blanco polluelo.

Turistas en Punta Cormorán, isla Floreana.

5. No asuste o persiga a ningún animal de su nido o su sitio de descanso. Ponga mucho cuidado cuando visite las colonias de aves marinas en la época de la reproducción. Especialmente, no espante de sus nidos a los piqueros, cormoranes, gaviotas o fragatas. No se acerque a menos de 40 metros del nido de las fragatas en Seymur. Los nidos de piqueros o fragatas en la isla Genovesa, pueden ser observados a una distancia de seis metros.

Estas aves abandonan sus nidos si se les molesta, haciendo caer sus huevos o polluelos al suelo o dejándolos expuestos al sol (un polluelo recién nacido, abandonado, muere en 20-30 minutos, siendo presa fácil de las fragatas).

No visite la vulnerable y rara colonia de albatros en la isla Española durante los primeros días de postura, desde mediados de abril hasta los primeros días de mayo, en la época de nacimiento desde mediados de junio hasta principios de julio.

6. No lleve animales domésticos a las islas. En caso de llevarlos se aconseja dejarlos en el barco o bote. Los animales domésticos que se han tornado salvajes son los que causan mayor destrucción en las islas.

7. No trate de pasar a empujones por las áreas de arbustos densos o matorrales. Esto, puede destruir rápidamente mucha vida vegetal; su ropa recogerá semillas que podrían ser llevadas a otras islas.

8. Deshechos de todo tipo deben ser sacados de las islas. Ponga todos los desechos (envolturas de películas fotográfcas, papeles, tarros, botellas, etcétera) en una funda o en un bolsillo para depositarlos en el barco o bote.

No arroje los tarros o basuras en las cercanías de las islas, ya que significan un peligro para los lobos marinos que sacan los tarros que se depositan en el fondo del mar y juegan con ellos, hiriéndose. Toda basura que se acumula en las playas y orillas puede causar la destrucción de la flora y fauna de estos sitios. No arroje plásticos fuera de la embarcación. Las tortugas marinas pueden comer estos plásticos y morir por obstrucción del tubo digestivo. Estos deshechos deben ser quemados al regresar al aeropuerto.

9. No compre recuerdos: colmillos de lobos marinos, carapachos de tortuga y otros artefactos elaborados con plantas y animales de las islas (se exceptúa trabajos artísticos hechos de madera seca). La mejor manera de impedir este comercio es no comprar estos artículos.

Si alguna persona le ofrece en venta, por favor avisar a la Oficina del Servicio del Parque Nacional.

10. Si usted desea acampar diríjase al Servicio del Parque Nacional, solicitando permiso. El acampar en cualquier sitio de las islas sin autorización está contra la ley. Para la obtención de dicho permiso, diríjase a las oficinas mencionadas en Puerto Ayora (Santa Cruz) o en Puerto Baquerizo Moreno (San Cristóbal).

11. Cuando acampe no haga fogatas. Use cocina de gasolina o kerosene. Los restos de las fogatas dañan el aspecto del lugar y además se pueden ocasionar incendios involuntarios en las zonas secas. Los árboles muertos que se usan como combustible desempeñan su propio papel para el equilibrio del ecosistema de la isla. Es mejor si se los deja como están.

Riachuelo de agua dulce en la isla San Cristóbal. ▶

12.   Si usted planea realizar viajes de cualquier clase a las islas Galápagos, solicite información al Servicio del Parque Nacional. Perderse en una isla, no es nada agradable. Para evitar contratiempos desagradables, consulte al Servicio del Parque Nacional, así podrá obtener información sobre las áreas que desea recorrer y el tiempo que puede permanecer en ellas. En estas oficinas pueden darle la ayuda que usted necesita.

13.   No escriba nombres ni frases de ninguna naturaleza sobre las rocas. No solamente que está contra la Ley, sino que daña el paisaje; "su inmortalidad no es más importante que la belleza natural de las islas".

14.   No tenga vergüenza de demostrar su actitud coservacionista. Explique a los demás estas reglas y obligue a cumplirlas. Notifique al Servicio del Parque Nacional si es testigo de algún daño ocasionado, usted puede ser un factor decisivo en la preservación de las islas. La oficina del Parque Nacional y la Estación Charles Darwin, están a sus órdenes para proporcionarle cualquier información que requiera. El conocimiento de la vida de las islas, es importante para la conservación: siéntase satisfecho de cooperar a la preservación de las islas.

Galápagos: Patrimonio Natural de la Humanidad

Por mandato del Comité Mundial del Patrimonio Cultural y Natural de la UNESCO (Organización de las Naciones Unidas para la Ciencia, la Cultura y la Educación), reunido en Washington a principios de septiembre de 1978 se escogió los 12 primeros sitios juzgados dignos de formar parte del Patrimonio Mundial, entre los cuales figuraban Quito y las Islas Galápagos.

Las islas Galápagos fueron seleccionadas como un lugar único en el mundo que debe ser preservado para beneficio de la humanidad. Cobra un enorme valor por su condición de único lugar donde se ha preservado algunas de las especies animales ya desaparecidas en otros lugares y en otros tiempos.

Galápagos resulta en sí una suerte de milagro de la naturaleza. En verdad se habla más bien del resultado de una paradoja: el abandono en que mantuvieron a este archipiélago los gobiernos y, el descubrimiento internacional y científico de su existencia y su valor hasta hace pocos años, han preservado su identidad cultural.

Puerto Ayora: la placa colocada por la UNESCO, reza que las islas Galápagos son Patrimonio Natural de la Humanidad.

Las islas maravillosas sólo vivían en el recuerdo de las novelas de aventuras de piratas. Si bien los sabios del mundo conocían su riqueza científica desde que Charles Darwin, uno de sus más ilustres investigadores que las visitara, pocos se habían preocupado por conocerlas realmente e investigar su patrimonio científico.

Sin embargo, ya un par de décadas que la UNESCO se preocupó en alguna medida el valor científico de Galápagos y contribuyó a apoyar al Estado y a otras instituciones internacionales para la creación de la Estación Charles Darwin, que ha sido la entidad que más se ha interesado por el valor profundo de las islas, tanto en la investigación de su ecología, como en el estudio de sus especies y la difusión internacional de su valor científico.

Inclusive personas y empresas con fines lucrativos, a pesar de su desvirtuado interés, de alguna manera contribuyeron por lo menos al conocimiento internacional de las islas. Viajeros notables, artistas, empresarios, turistas sofisticados y a muchos hombres comunes, de raras preocupaciones, se han interesado en el turismo hacia las islas encantadas.

Se han escrito algunos libros de variada índole sobre nuestras islas filmando películas con diferentes fines.

Finalmente, en el proceso de revalorización de Galápagos, el gobierno de las Fuerzas Armadas (1972-1979) tuvo la decisión política de conferirles el rango de provincia, con todos los derechos que ello implica y asimismo, con las obligaciones inherentes de sus autoridades locales y pobladores.

Cuando Tomás de Berlanga las descubrió y Villamil las encargó a la vida nacional, constituyéndose desde entonces en territorio ecuatoriano, con todos los elementos que conforman la nacionalidad, no se imaginaron quizás que posteriormente otros visitantes ilustres vendrían a contribuir a su permanente descubrimiento y revaloracización. Charles Darwin el más ilustre de sus visitantes, se inmortalizó con su obra científica inspirada en la realidad natural de estas islas y contribuyó también a la fama del archipiélago.

En la declaratoria de Galápagos Patrimonio Nacional de la Humanidad realizada el 28 de julio de 1979 por el señor AMADOU-MAHTAR M'BOW, Director General de la UNESCO, siendo ministro de Educación y Cultura del Ecuador el General de División Fernando Dobronsky Ojeda, las islas entran en una nueva etapa en el convivir nacional e internacional.

Las islas Galápagos dotadas ya de algunos medios de comunicación y de cierta infraestructura básica, debe empezar una nueva política global de desarrollo.

En el caso de Galápagos no cabe un simple desarrollo económico o material, sino, precisamente, un desarrollo científico y cultural.

La importancia de este territorio insular radica en su riqueza natural de reserva insustituible y en su potencial científico.

La exótica belleza de su paisaje atrae espontáneamente un turismo cultural que espera un planteamiento altamente calificado para cubrir las metas propuestas.

Galápagos vista en esa perspectiva que le confiere su consagración de Patrimonio de la Humanidad, debe constituir, consecuentemente, punto de encuentro de todos los hombres de la tierra; pero esencialmente de: los científicos, sabios e intelectuales del mundo, sin distinción de nacionalidad o ideología, para que contribuyan con su reflexión, sus investigaciones y conocimientos en esta especialidad al progreso de la ciencia y al establecimiento intelectual que permita arribar a horizontes más lúcidos y serenos.

La motonave turística Santa Cruz en la Bahía Tagus Cove.

Un popular restaurante en Puerto Ayora.

Visitas científicas a Galápagos

No puede omitirse en este breve recuento de las cosas de Galápagos, la enumeración, por lo menos de los hombres de ciencia que, en una u otra oportunidad, han visitado las islas, o de las varias expediciones científicas que con fines exclusivos de estudio han llegado hasta el archipiélago.

El primer científico que permaneció exclusivamente para observaciones detenidas fue Charles Darwin en 1835. Antes que él, varios hombres ilustrados pasaron por las islas y dieron noticias y datos valiosos sobre su situación, flora, fauna, etcétera, pero no tuvieron la repercusión que tuvo la visita de Darwin.

Veamos brevemente quienes fueron:

— 1790. Expedición enviada por el rey Carlos IV de España, al mando del capitán siciliano Alejandro Malaspina en las corbetas Descubierta y Atrevida.

— 1793. El capitán español Alonso Torres Guerra en la fragata Santa Gertrudis. Dio nombres españoles a las islas.

— 1793. El capitán James Colnett, inglés enviado por los armadores británicos, estudió las posibilidades de establecer un centro ballenero en el archipiélago.

— 1803. El lugarteniente de la marina inglesa, William Bowers, a bordo del buque Tom.

— 1822. El capitán Basil Hall, a bordo del buque inglés Corway, llegó a las islas para verificar experimentos sobre el péndulo.

— 1823 y 1825. El inglés Benjamín Morrel, en el buque Tartar, quien nos dejó una descripción de la erupción de 1825 en la Fernandina y de otras erupciones volcánicas en el archipiélago.

Datos relativos a posteriores erupciones:

(1911 ó 1912, volcán Sierra Negra, Isabel; 1947, cerro Azul en Isabela; 1948, Sierra negra, en Isabela; agosto 1953 enero 1954, Sierra Negra, en Isabela; 1961, Fernandina: 1 de marzo de 1963, Wolf, en Isabela; el 13 de abril de 1963, Sierra Negra en Isabela; 1968, Fernandina; 25 de gosto de 1969, Cerro Azul, Isabela; 1 de diciembre de 1973, Fernandina).

— 1824-25. Visita del inglés Scouler, escribió la obra Estudio de Ciencias Naturales. Su libro incentivó a Darwin.

— 1825. El séptimo Lord Byron, sucesor del título del célebre poeta, visitó las islas a bordo del Blonde, el 25 de marzo, pudiendo observar la erupción presenciada por Morrel, el 14 de febrero.

— 1835. Charles Darwin a bordo del Beagle. La visita de oro para la ciencia del Ecuador y del mundo.

— 1838. El capitán Abel-Aubert Du Petit-Thouars, francés, en la corbeta L'Atrolabie. Estudios de Historia Natural.

— 1843. Sir Edward Blecher, inglés, en el buque Sulphur. Colecciones de zoología, botánica y entomología.

— 1852. El zoólogo Hinberg y el botánico Nils Johan Anderson, a bordo del Eugenie, de la Marina Sueca.

— 1858. El doctor Manuel Villavicencio, en su Geografía de la República del Ecuador, hace una descripción valiosa del archipiélago.

— 1868-69. Simeón Habel. Estudios de ornitología.

— 1870. Un grupo de naturalistas ingleses a bordo del buque Zealens.

— 1871. Expedición científica norteamericana a bordo del Hassler.

— 1872. El sabio suizo Alejandro Agassiz. Observaciones oceanográficas.

— 1873. Sir William Kenedy en el barco de la marina británica Reindeer. Recolección de ejemplares de la fauna insular.

— 1875. El capitán Cookson, Comandante del buque Petrel. Colecciones varias.

— 1875-78. El doctor Teodoro Wolf, alemán. Vino al Ecuador por el presidente García Moreno para la Politécnica. Estudios de Geología y Geografía.

— 1880. Científicos a bordo de la corbeta inglesa Triumph. Estudios varios.

— 1880. Visita del almirante inglés A. H. Markham. Colección de aves.

— 1880-88-91. Científicos a bordo del buque norteamericano Albatros de la Fish Commision of California. Observaciones y estudios sobre pesca.

— 1884. La corbeta italiana Vettot Pisani, con el comandante Giovanni Palumbo y el teniente Gaetano Chierchia. Estudio de las Ciencias Naturales.

— 1891. Mr. George Baur, profesor de la universidad de Clark, en Worcester, a bordo del buque Hassler. Baur propuso la teoría de que las islas eran partes volcánicas de un continente sumergido.

— 1897. Velero norteamericano Lila and Mattie. Expedición científica.

— 1898-99. La Johns Hopkins University-Standford University Galápagos Expedition. Recolección de ejemplares de flora y fauna.

— 1898. Webster-Harris Expedition, inglesa. Estudios científicos.

— 1905-06. Expedición del Museo de Ciencias de California, a bordo de la goleta, Academy. Estudios varios. Gran contribución al conocimiento de Galápagos.

— 1906. Nicolás Martínez Holguín, Ayudante del Director del Observatorio Astronómico de Quito, en su obra "Impresiones de un Viaje a Galápagos", nos da una opinión imparcial de los sucesos de las islas.

— 1924-25. El mayor A. I. Douglas y P. H. Johnsonn en el yate inglés St. George. Recolección de insectos.

— 1925. La expedición científica noruega, dirigida por Alf Woollebaek. Estudios de zoología.

— 1926. El millonario norteamericano William K. Vanderbilt, en el yate de su propiedad Ara. Recolección de ejemplares para su museo oceanográfico.

— 1930. El doctor Eugene Pool del New York Hospital. Investigaciones científicas.

— 1930. Mr. Gifford Pinchot, gobernador del Estado de Pensylvania. Recolección de fauna terrestre y marina.

— 1932. Templeton-Crocker Expedition, a bordo del Zaca, con varios científicos. Recolección de ejemplares de flora y fauna.

— 1933-34. La Fundación de Allan Hancook. Estudios de zoología principalmente.

— 1935. Expedición Científica Nacional, en la que tomaba parte el doctor Misael Acosta Solís, geobotánico.

— 1935. Expedición de la Sociedad Científica Internacional, presidida por Victor Wolfang von Hagen, para el centenario de la visita de Darwin.

— 1936. Irving y Electra Johnson, a bordo de los barcos Blue Dolphin y Yankee.

— 1937. Exploración realizada por el médico veterinario oficial del Estado, Yehuda Samandaroff y el ingeniero agrónomo Manuel Chalons.

— 1938. Franklin Delano Rooselvet, presidente de los Estados Unidos, a bordo del Huston. En este viaje se recolectaron muchos especímenes de la fauna insular.

— 1939. Expedición de Meredity de Witt, en el Velero III.

— 1945. El mayor Jorge A. Rivadeneira, realiza estudios de geología y petrografía.

— 1948. La Misión Científica de la Escuela Politécnica del Ecuador, realiza una visita presidida por Robert Hoffstetter.

— 1948. Misión de la George Vanderbilt South Pacific Expedition, organizada por millonarios norteamericanos.

— 1950. El doctor Alfredo Schmitt, Director del Observatorio Astronómico de Quito, y el doctor Zimmerschield, experto metereólogo. Año Geofísico Internacional.

— 1953. La Norvegia Archaelogical Expedition, organizada por el etnólogo noruego Thor Hayerdahl, autor de la expedición Kon Tiki.

— 1957. El doctor Eibl Eibestfeldt, de Alemania y el doctor Roberth Bowman, de la Universidad de Yale, de los Estados Unidos.

Un hermoso ejemplar de lobo marino retoza en Seymur norte. ▶

VII. Comunicaciones y transporte

Comunicación con el continente

Desde hace 14 años la empresa nacional de aviación TAME, realiza vuelos diarios (excepto los viernes y eventualmente los domingos) al archipiélago de Galápagos. Estos viajes están conectados con los diversos tours que recorren las islas, que pueden contratarse por cierto número de días, los mismos que tienen diversos recorridos y precios.

La Dirección de Aviación Civil ha autorizado para estos viajes dos tipos de cobros: uno para turistas extranjeros y otro para ecuatorianos y extranjeros residentes en el país, con el objeto de facilitar a los ecuatorianos el conocimiento de tan interesante lugar de la Patria.

Existen varios tipos de tours a las islas, dependiendo de la duración del mismo y de las facilidades que las empresas pongan a disposición del turista, sea en tierra, o a bordo de una nave.

Existen dos aeropuertos, uno en Baltra, bajo la jurisdicción de la FAE, el mismo que carece de infraestructura para aviones de mayor capacidad. El terminal aéreo ofrece pocas comodidades al turista, por lo que se proyecta incrementar dicha infraestructura.

El otro aeropuerto se encuentra en San Cristóbal, permite solamente el aterrizaje de aviones como el Búfalo, cuyo servicio es bastante bueno.

GALAPAGOS

INVENTARIO DE LA RED FUNDAMENTAL
AÑO 1980

N.° Ruta	CARRETERA	Ancho	Asfalt.	Afirm.	Tierra	Total
99	Pto. Ayora-Canal Baltra	7,0			40,0	40,0
	Pto. Villamil-Isabela-Santo Tomás	6,5			18,5	18,5
	Pto. Baquerizo Moreno-Al interior	6,5			8,0	8,0
	TOTAL KM	66,5			66,5	
	PORCENTAJES	100 %			100 %	

Motonave Iguana, embarcación de transporte turístico.

Oficina de Correos de Puerto Ayora.

Buque carguero Pinzón que presta
servicio regular entre el Archipiélago y
el territorio continental del país.

Servicio de Telecomunicaciones en Puerto Ayora.

Aeropuerto de la Isla San Cristóbal.

Santa Cruz: autobús de servicio interno.

VIII. Turismo

Turismo en Galápagos

Como polo de atracción turística Galápagos difícilmente puede ser superado. Con sus animales de apariencia prehistórica, lo agreste de su paisaje, lo sangriento de su historia, lo exótico de su flora y fauna, ha dado razón a ciertos autores como William Beebe, en denominarlas "Galápagos, fin del mundo".

Nada más atrayente que este sugestivo membrete para crear la "necesidad" en la gente de visitarlo; pero el turismo en Galápagos es un turismo especial, no de ocio y diversión, ni de grandes hoteles de playas atiborradas, de cabarets y casinos, sino todo lo contrario, de visita a las islas, de admirar la naturaleza en su primitivo esplendor, de experimentar por un momento esa vida tan sencilla, en contraste con la que diariamente atosiga al pobre habitante de las grandes aglomeraciones humanas que llamamos ciudades.

El turismo es "transeúnte" y las estadías en las diferentes islas de lo más breves para no estropear los sitios visitados.

El alojamiento se hace en yate-hotel o en pequeñas cabañas.

Hace algunos años no había turismo en su sentido moderno, lo que había era una cierta curiosidad de conocer un lugar alejado conocido por pocos, para lo cual, se conseguía un boleto en la única embarcación comercial, más o menos pasable, el Cristóbal Carrier, que hacía sus recorridos mensuales o en algún crucero de la Armada nacional que ocasionalmente ofrecía este tipo de transporte.

A partir de 1969, con un sentido más comercial, se establecen "tours" organizados que ofrecen al visitante lo siguiente: traslado en avión a la isla Baltra, recorrido de ocho o quince días en un barco bien acondicionado, con buena alimentación y atención a bordo y, el viaje de regreso. También había a disposición yates más pequeños e incluso algunos turistas que deseaban permanecer en las islas podían hospedarse particularmente, o en ciertos casos, como en la isla Santa Cruz, en un hotel de primera categoría: en el Hotel Galápagos, por ejemplo.

En la actualidad este tipo de turismo se ha popularizado. No hace falta mencionar los yates y aviones que hacen el servicio, pues basta acercarse a cualquiera de las oficinas de viajes de las ciudades principales, para obtener información y precios actualizados.

Una vez en Galápagos, para que el turista saque mayor provecho de su visita, el Servicio de Parques Nacionales ha seleccionado los lugares más atractivos y ha dispuesto en ellos senderos de recorrido, los cuales se hallan señalados con pequeñas estacas pintadas de blanco. Ciertas zonas proclives a la destrucción, como bordes de cráteres, lugares de escasa vegetación, etcétera, están vedados al visitante, pues lleva un letrero con una leyenda clara: "No pase". Generalmente, en los barcos que llevan numerosos turistas a bordo, el guía es el encargado de hacer cumplir los artículos del Reglamento a los que deben sujetarse los visitantes, so pena de ser sancionados.

Un grupo de turistas goza de la blanca arenisca y la paz incomparable de una de las playas de Galápagos.

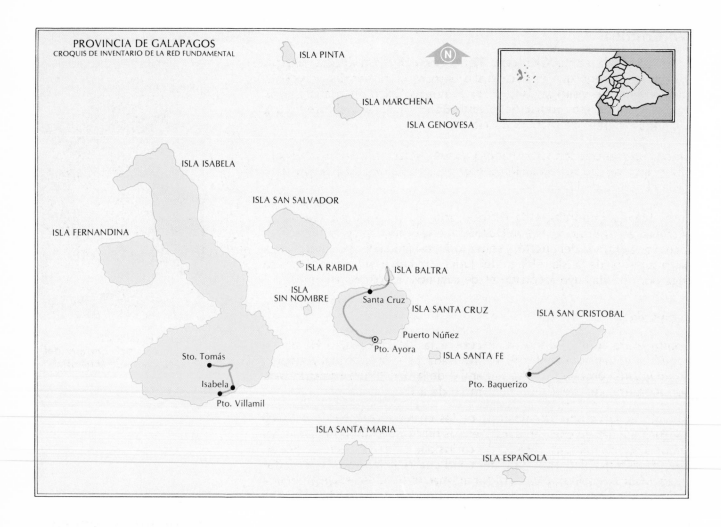

PROVINCIA DE GALAPAGOS
CROQUIS DE INVENTARIO DE LA RED FUNDAMENTAL

ISLA PINTA

ISLA MARCHENA

ISLA GENOVESA

ISLA ISABELA

ISLA SAN SALVADOR

ISLA FERNANDINA

ISLA RABIDA

ISLA BALTRA

ISLA
SIN NOMBRE

Santa Cruz

ISLA SANTA CRUZ

ISLA SAN CRISTOBAL

Puerto Núñez

Pto. Ayora

ISLA SANTA FE

Sto. Tomás

Isabela

Pto. Baquerizo

Pto. Villamil

ISLA SANTA MARIA

ISLA ESPAÑOLA

Grupo de científicos explorando una de las islas del Archipiélago.

Si bien es dable creer que no se cumplan todos los artículos del Reglamento a pie juntillas, no obstante, al pasar por los lugares históricos se observa que los visitantes colaboran cuando son advertidos a tiempo y se les da facilidades para lograr estos propósitos, como es el señalamiento claro de los senderos que pueden utilizarse y la provisión de fundas de plástico para recoger cortezas de frutas, papeles y aun colillas de cigarrillos.

Así pues, a pesar de ser cerca de 10.000 los turistas que pasan anualmente por las islas, no se detecta la destrucción o el hacinamiento de basura que puede causar una muchedumbre de esa magnitud. Ello nos lleva a meditar que si bien Galápagos es un lugar turístico por excelencia, su desarrollo tiene que ser limitado, pues de otra manera no alcanzan las facilidades existentes y el excesivo número de visitantes se escaparían al control de las autoridades, con la consiguiente destrucción de lo que precisamente es el atractivo de Galápagos: sus bellezas naturales. Ultimamente se conoce que se ha fijado una cuota máxima de 12.000 turistas anuales.

Como es natural, el visitante tiene interés en conocer lo más exótico y lo menos trillado, sin embargo, el recorrido es fijo y generalmente es como sigue:

Vuelo en avión de Guayaquil a Baltra: dos horas quince minutos aproximadamente. En barco, tres días y medio de Guayaquil a San Cristóbal. Tomando este lugar como punto de partida, y haciendo el recorrido en sentido de las manecillas del reloj, tenemos los siguientes atractivos turísticos en las islas:

San Cristóbal

Antes conocida como Chatham. Tiene dos centros poblados: Puerto Baquerizo Moreno que es la capital provincial en honor del presidente ecuatoriano que visitó las islas —era el Puerto Chico de comienzos de siglo— y El Progreso, población interior donde se hallaba el ingenio y la hacienda Progreso de Manuel J. Cobos.

Ambos lugares pueden ser visitados y es una excelente oportunidad para observar el cambio de vegetación conforme se asciende unos pocos metros hacia el centro de la isla.

Otros lugares importantes de conocer son: La Lobería, la bahía de las Tijeretas, cerro Brujo y el León Dormido, esta última una gran formación rocosa a la entrada del puerto, y sobre todo, la laguna de agua dulce, en la parte superior de la isla: el lago del Junco, un cráter volcánico al cual se llega por una vía cuyo recorrido es de una hora aproximadamente.

La impresionante vegetación galapagueña, con el azul contraste del Océano Pacífico y el cielo ecuatorial.

Española

Continuando rumbo al sur se encuenra la isla Española o Hood, de pequeñas dimensiones (60 km²), deshabitada, pero llena de fauna variada, desde iguanas propias de la isla, lagartijas de lava, culebras y galápagos de tipo montura, incluyendo un sinnúmero de aves.

Notable es la colonia de albatros, de las cuales se calcula unas 10.000 parejas, muchas de ellas, anidando en los mismos senderos turísticos, sin temor a ser molestados. Objeto de curiosidad es una especie de géiser, pues no es volcánico, sino un túnel en el cual penetra una ola de ciertas características y sale por un surtidor al final, elevándose el agua hasta la altura de 20 metros, para deshacerse con brisa, en una fina llovizna.

La apacible "Laguna de los flamingos" en la isla Floreana.

Floreana

A unos 60 kilómetros al este de la Española se halla la Floreana, Santa María o Charles, de una dimensión de 170 Km². Es la isla más conocida por sus dramas sangrientos y por sus misteriosas desapariciones. Su puerto de acceso es Playa Prieta o Black Beach, donde se encuentra el poblado. Cercano a él se halla el sitio denominado La Lobería, de fácil acceso para el visitante. En el interior de la isla, en la parte alta, se encuentran las chacras de Titter y, al sur, el Asilo de la Paz, lugar en el cual se afincaron los Witmer.

Cercano a este lugar, se levanta la casa pre-fabricada El Paraíso, de la baronesa Wagner de Bousquet. En el centro de la isla, el cerro de las Pajas, de 680 metros de altura.

A media hora de navegación de Playa Prieta rumbo norte, se puede visitar la bahía del Correo o Post Office Bay, donde se halla el buzón establecido por Colnett en 1793.

Cerca de este lugar se divisa la Corona del Diablo, o islote Onslow, cono volcánico que emerge del mar y cuya impresionante apariencia sobrecoge el espíritu del visitante. Poco más allá, Punta Cormorant, en la cual existe una playa donde se pueden recoger pequeños cristales de olivina. En esta costa se ve ocasionalmente pingüinos y en las lagunas cercanas a la playa, flamingos. Al otro lado de la Punta se distingue una amplia bahía de una arena blanquísima, es la bahía de los tiburones.

En la parte oriental de la isla se destaca la bahía de las cuevas, en las cuales dice la tradición se alojaban los piratas.

La bahía del correo en la isla Floreana.

Isabela

Al noroeste de la Floreana se halla la Isabela o Albemarle, la más extensa del archipiélago (4.588 Km²). Es la isla de las grandes pampas y el ganado cimarrón. Su lugar de acceso es Puerto Villamil. La entrada a la bahía es un poco difícil debido a la gran cantidad de rocas en la costa de acantilado bajo y grietas profundas que hacen difícil la navegación, a lo que hay que agregar un mar siempre agitado. Del puerto, a 20 Km. se halla la población de Santo Tomás (en honor de Berlanga), cercano al cual se divisa al muro de las lágrimas en el campamento Alemania de la Colonia Penal que existió hasta 1959. En el interior de la isla existen seis grandes cráteres volcánicos: Ecuador, Wolf, Darwin, Alcedo, Sierra Negra y Cerro Azul. El cráter Sierra Negra, tiene 10 Km. de diámetro, siendo el segundo en tamaño en el mundo.

Fernandina

Ocasionalmente, se puede ir por la parte occidental de la Isabela y continuar a lo largo del hermoso trecho de Bolívar que separa esta isla de la Fernandina o Narborough.

En la parte superior del estrecho se observa una enorme bahía hacia el lado de la Isabela. Es la bahía Bancos (Banks Bay), formada por el colapso de la pared suroeste de un viejo cráter.

Un tranquilo miramar en las
instalaciones del INGALA.

Un grupo de turistas otea el horizonte
desde una alta cumbre en la isla
Isabela.

Pinzón

La mayor parte de las veces no se rodea la Isabela sino de Puerto Villamil se toma hacia el norte, pasando cerca de la isla Pinzón o Duncan, pequeña en tamaño, deshabitada y sin importancia.

San Salvador

San Salvador, Santiago o James está situada al noroeste de la Santa Cruz.

Se llega a la isla por la Bahía James (James Bay), cuya playa está rodeada de grandes barrancos de espuma de lava enfrentados al golpe de olas; a pocos Kms. de la bahía se encuentran dos cráteres volcánicos en forma de cono invertido, en cuyos vértices se hallan grandes depósitos de cristales salinos de gran pureza.

En 1963, cuando la sal constituía todavía monopolio del Estado, se llevaban a cabo trabajos para la extracción de la sal y su venta en el continente, el decreto de desmonopolización y la libertad para la industrialización terminó con los esfuerzos para establecer una industria más en Galápagos. En 1975 sólo quedaba el esqueleto de un galpón de madera y un tanque de agua enclavado en el barranco.

Yate turístico anclado al abrigo de una de las numerosas caletas del Archipiélago de Colón.

En la Bahía James se puede visitar una colonia de focas peleteras. Cerca de James Bay, se observa la famosa cueva de piratas (Bucanner Cave).

San Bartolomé

Al este de la isla Santiago se encuentra una pequeñita: la San Bartolomé. El acceso a la isla se hace por Bahía Sullivan, en cuya costa se desembarca y se comienza la ascensión de una prominencia volcánica, que por los muchos cráteres y solfataras tiene una apariencia lunar. Desde la cima, que está a unos 100 metros de altura, se divisa en la parte baja dos bahías en forma de herradura, una junto a la otra, dejando un itsmo entre ellas. La de la derecha remata en su extremo en dos raras formaciones de roca basáltica: una en forma de cono y otra de pluma de extraña belleza.

Seymur y Baltra

Continuando hacia el este se llega a un conjunto de tres islas: Seymur, Baltra un poco más al sur y, separado por el Canal de Itabaca, la isla Santa Cruz.

Durante la Segunda Guerra Mundial estas islas fueron cedidas temporalmente por el gobierno ecuatoriano para que fueran convertidas en bases militares norteamericanas. Precisamente el aeropuerto usado en la actualidad es uno de los construidos para la defensa aérea y naval del Canal de Panamá.

De las construcciones que existieron hasta el año 1948, muchas fueron destruidas, otras desarmadas y trasladadas a otros lugares y por fin, otras tantas abandonadas.

Visión de un hermoso cabo de la isla Bartolomé. Al fono la isla Santiago. ▶

Un sorprendido turista enfrenta, cámara en mano, a la naturaleza primigenia.

Isla Plaza

Como el principal puerto de Santa Cruz, es Puerto Ayora y queda en la parte sur de la isla, el recorrido se hace por su lado oriental para pasar junto a las islas Plaza. Estos islotes, son de menor tamaño y se caracterizan por tener en sus costas grandes colonias de lobos marinos y otros especímenes de fauna exótica en un paisaje realmente impresionante.

Santa Cruz

Esta isla fue conocida como Indefatigable. Aún cuando tiene únicamente agua salobre, no obstante, es la más habitada y la más pintoresca del grupo. Una amplia bahía de azul turquesa, la Bahía de la Academía (Academy Bay) permite la entrada a Puerto Ayora. La bahía está flanqueada por un acantilado en la parte occidental, en donde se observa varias casas sobre las rocas. Una de ellas es la casa de las iguanas, donde cientos de iguanas negras invaden la casa a la hora de la comida, o a la llamada de su dueño, Karl Angermeyer.

En la siguiente casa, que pertenece a su hermano, se puede visitar la cueva, lugar en el cual se han reunido varios objetos curiosos de todas las partes del archipiélago. En ningún momento debe confundirse con el Museo de Galápagos. Al otro lado de los acantilados, se abre una bahía enorme de arenas muy blancas y de aguas ricas en langostas. Se llama Bahía de Tortuga aunque más comúnmente se usa su nombre inglés: Tortuga Bay.

A la derecha de la bahía de la Academia está situada la población de Puerto Ayora. Junto al poblado se halla la Estación Biológica Charles Darwin.

Entre el acantilado y Puerto Ayora existe un pequeño canal que conduce entre piedras y manglares a una laguna interior que se abre espléndida y tranquila: es el estanque de las ninfas. Dicen los vecinos que en él se solían bañar la esposa e hija de un colono, a las cuales las confundieron con ninfas.

En la parte alta de la isla se halla la zona agrícola. En su trayecto se observa el cambio de vegetación con relación a la altura y humedad. En la parte alta se encuentran pequeños poblados: Bellavista, Occidente, Santa Rosa y continuando con la vía que va al norte hacia Baltra, el poblado de Santa Cruz.

Hacia el norte se halla la Bahía de Conway. Esta bahía se cierra en su extremo formando un estrecho canal de agua turquesa, por el cual se entra para desembarcar en la isla. Una vez en tierra, el visitante puede observar una gran cantidad de iguanas terrestres y una playa extensa de rocas negras que dan un fondo imponente al paisaje.

Santa Fe

Por último, al regresar a San Cristóbal para cerrar el periplo, se observa hacia el occidente la isla Santa Fe o Barrington. Este pequeña isla carece de agua dulce; sin embargo, en ella vive una gran cantidad de chivos a los que se los puede ver en largas hileras caminando por el borde del acantilado. Dicen los colonos que sobreviven porque se han adaptado a beber agua de mar.

Luz de un nuevo paisaje en una blanca playa galapaguense.

Luminoso atardecer en las playas del
Archipiélago.

Faro del Puerto Baquerizo.

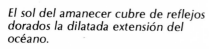

El sol del amanecer cubre de reflejos
dorados la dilatada extensión del
océano.

Un grupo de turistas se apresta a retornar al continente desde el aeropuerto de Baltra.

ATRACTIVOS TURISTICOS

Categoría	Descripción
1. Sitios naturales	
— Archipiélago de Galápagos	Formación geológica única en el mundo, diferentes unas de otras islas de integración actual al turismo: San Cristóbal, Santa Cruz, Española, Floreana, Tortuga, Isabela, Baltra, Fernandina, Santiago. 13 islas menores Más de 40 islotes.
— Pesca Marina.	Islas.
— Archipiélago de Galápagos.	Flora, Fauna.
— Archipiélago de Galápagos.	Parques Nacional y Reserva de Flora y Fauna.
2. Museos y manifestaciones culturales históricas	
— Museo Ictiológico	Muestra de corales y moluscos.
3. Folklore	
— San Cristóbal.	Artesanías.
— Santa Cruz.	Artesanías.
4. Realizaciones Técnicas Científicas o Artísticas Contemporáneas	
— Estación Charles Darwin.	Preservación de Fauna y Flora.
5. Acontecimientos programados	
— Fiestas Cívicas.	Cantonización y Provincialización.

Establecimientos Hospitalarios

En la provincia existen dos Centros de Salud Hospitalaria, el Oskar Jandl en San Cristóbal con 15 camas hospitalarias, nueve para medicina general y seis para pediatría; el República del Ecuador, en Santa Cruz con 15 camas hospitalarias, 10 para medicina general y cinco para pediatría.

Las enfermedades más comunes entre la población son: epidemias, de gripe, gastroenteritis, rascabonito, parasitosis intestinal y micosis de la piel; se presentan casos de tuberculosis. Los hospitales carecen de dotación completa de equipo, de medicamentos y laboratorios para cumplir a cabalidad su labor.

Agua

El agua dulce es escasa en Galápagos: existen pequeñas fuentes en Asilo de la Paz (Floreana), Santa Rosa (Santa Cruz) y agua corriente en San Cristóbal. En esta isla existe la laguna El Junco, un embalse natural situado a 650 metros sobre el nivel del mar, de 270 metros de diámetro en cruz y una temperatura de 18,5 grados centígrados. La laguna no suministra agua a la población sino una pequeña poza situada a cuatro kilómetros de ella, desde donde se lleva en una tubería para el consumo. La laguna se alimenta de agua lluvia y se mantiene gracias a la constante neblina que hace húmedo el ambiente.

Puerto Ayora y Villamil se abastecen de agua salobre que se obtiene de grietas: el agua de mar filtrada al interior de la isla se empoza en capas impermeables que la hace menos salobre mientras más alejada se encuentra la grieta de la orilla.

En las poblaciones o casas donde no existe agua dulce o salobre, se colecta de la lluvia el vital elemento, en aljibes o tanques para el efecto (Juan Blak).

ESTABLECIMIENTOS DE SALUD

Nombre	Clase	Cantón	Localidad	Camas
Ministerio de Salud				
— Oscar Jandl	C.S.H.	San Cristóbal	Pto. Baquerizo	15
— Jefatura de Salud	J.P.	San Cristóbal	Pto. Baquerizo	—
— El Chino	P.S.	San Cristóbal	El Chino	—
— Velasco Ibarra	P.S.	San Cristóbal	Isla Floreana	—
— Cerro Verde	P.S.	San Cristóbal	Cerro Verde	—
— Pto. Villamil	P.S.	Isabela	Pto. Villamil	—
— Santo Tomás	P.S.	Isabela	Tomás de Berl.	—
— Rep. Ecuador	C.S.H.	Santa Cruz	Pto. Ayora	15
— Santa Rosa	P.S.	Santa Cruz	Santa Rosa	—
Fuerzas Armadas				
— Zona Naval	DISP.	San Cristóbal	Pto. Baquer.	—
— Grupo Aéreo	DISP.	Santa Cruz	Baltra	—
I.E.S.S.				
Unión y Progreso	DISP.	San Cristóbal	El Progreso	—

Edificio de la Jefatura de Salud en Puerto Baquerizo Moreno.

Dependencias del Instituto Ecuatoriano de Obras sanitarias en Puerto Baquerizo Moreno.

INDICADORES DE SALUD

AÑOS		1974	1975	1976	1977	1978
Población		4.277	4.445	4.662	4.877	5.101
Natalidad	Nacid. vivos	92	109	81	109	138
	Tasa (1)	21.5	24.5	17.4	22.3	27.1
Mortalidad General	Defunciones	15	15	18	12	9
	Tasa (1)	3.5	3.4	3.9	2.5	1.8
Mortalidad Infantil	Defunciones menos 1 años	6	3	6	4	—
	tasa (2)	65.2	27.5	74.1	36.7	—
Mortalidad Precoz	Defunciones menos 7 días	—	—	3	—	—
	Tasa (2)	0	—	37.0	—	—
Mortalidad Neonatal	Defunciones menos 1 mes	—	—	4	—	—
	Tasa (2)	0	—	49.4	—	—
Mortalidad Post-neona.	Defunciones 1-11 meses	6	3	2	4	—
	Tasa (2)	65.2	27.5	24.7	36.7	—
Mortalidad Materna	Defunciones maternas	1	1	—	—	—
	Tasa (2)	0.0	9.2	12.3	—	—

(1) Por cada 1.000 habitantes.
(2) Por cada 1.000 nacidos vivos.

Hospital General de Puerto Ayora.

TOTAL CONSULTAS DATAS POR COMPONENTES

Años	1976	1977	1978
D.O.C.	—	0	5
Prenatal	305	331	363
Post-parto	54	14	33
Regulación de la fecundidad	415	624	263
TOTAL MUJERES	1.154	969	673
Infantil 1 año	307	75	146
Pre-escolar 1-5 años	334	68	373
Escolares 6-14 años	319	50	28
TOTAL INFANTIL	960	193	547
TOTAL MATERNO INFANTIL	2.114	1.162	1.220
Morbilidad	4.217	5.163	24.378
Otros y Certificados de Salud	745	265	254
Odontología	1.678	1.491	574
TOTAL CONSULTAS M.S.P.	8.754	8.081	28.214
Partos establecimientos	65	79	114
Partos domicilio	5	79	186
TOTAL PARTOS	70	—	330

Planta de agua potable de El Progreso, isla San Cristóbal.

Hospital General de Puerto Ayora.

ENFERMEDADES SUJETAS A VIGILANCIA SANITARIA INTERNACIONAL Y OTRAS TRASMISIBLES

GALAPAGOS 1974-1980

| | | | A Ñ O S | | | | | | | | | | | |
| | | | 1974 | | 1975 | | 1976 | | 1977 | | 1978 | | 1979 | | 1980 | |
CODIGO		ENFERMEDADES	Casos	Tasas	Casos	Tasas	Casos	Tasas	Casos	Tasas	Casos	Tasas	Casos	Tasas	Casos	Tasas
000	X	Cólera	—	—	—	—	—	—	—	—	—	—	—	—	—	—
001		Fiebre tif. y otras salmonelosis	—	—	11	246.91	4	85.80	—	—	—	—	—	—	—	—
010-019		Tuberculosis, todas las formas	—	—	22	493.83	12	257.40	18	369.08	1	19.60	4	75.03	2	35.89
020	X	Peste	—	—	—	—	—	—	—	—	—	—	—	—	—	—
023		Brucelosis									—	—	—	—	—	—
030		Lepra									—	—	—	—	—	—
032		Difteria	—	—	—	—	—	—	—	—	—	—	—	—	—	—
033		Tosferina	—	—	—	—	—	—	—	—	—	—	—	—	—	—
036		Infecciones meningocócicas	—	—	—	—	—	—	—	—	—	—	—	—	—	—
037		Tétanos	—	—	1	22.45	—	—	—	—	—	—	—	—	—	—
—		Tétanos - menores de 28 días	—	—	—	—	—	—	—	—	—	—	—	—	—	—
049-043		Poliomielitis, todas las formas	—	—	—	—	—	—	—	—	—	—	—	—	—	—
050	X	Viruela														
055		Sarampión	—	—	2	44.89	60	1287.00	1	20.55	—	—	—	—	—	—
056		Rubeola									3	58.81	3	56.27	—	—
060	X	Fiebre amarilla			—	—					—	—	—	—	—	—
061		Dengue									—	—	—	—	—	—
068.2		Encefalitis vírica									—	—	—	—	—	—
070		Hepatitis viral									16	313.66	19	356.41	13	223.127
071		Rabia Humana	—	—	—	—					—	—	—	—	—	—
072		Parotiditis									—	—	—	—	2	35.89
080		Tifus epidém. trans. por piojos	—	—	—	—	—	—	—	—	—	—	—	—	—	—
081.0		Tifus endém. trans. por pulgas					—	—	—	—	—	—	—	—	—	—
084		Paludismo	—	—	—	—	—	—	—	—	—	—	—	—	—	—
085		Leishamaniasis									—	—	—	—	—	—
086		Enfermedad de Chagas									—	—	—	—	—	—
088		Fiebre recur. trasm. por piojos							—	—	—	—	—	—	—	—
090-097		Sifilis, todas las formas	—	—	—	—	—	—	1	20.50	—	—	—	—	3	53.83
098		Infecciones gonocócicas	—	—	—	—	1	21.45	2	41.01	1	19.60	4	75.03	6	107.66
099		Todas las demás trans. sexual	—	—	2	44.89	1	21.45	—	—	1	19.60	1	18.76	—	—
100		Leptopirosis									—	—	—	—	—	—
102		Pian									—	—	—	—	—	—
121.2		Paragonimiasis									—	—	—	—	—	—
122		Hidatidosis									—	—	—	—	—	—
123.1		Sisticercosis									—	—	—	—	—	—
391		Fiebre Reumática									1	19.60	1	18.76	—	—
470-474		Influenza	—	—	641	14.388.33	516	11.068.21	337	6.909.99	1	19.60	1	18.76	23	412.70
680		Antrax														
—		Complicaciones post-vacunales									1	19.60	1	18.76	—	—
—		Intoxicaciones por plaguicida									—	—	—	—	—	—
—		Rabia animal	—	—	—	—	—	—	—	—	—	—	—	—	—	—

FUENTE: División Nacional de Estadísticas de Salud. Ministerio de Salud Pública. Tasas por 100.000 Habitantes.

PRINCIPALES CAUSAS DE MORTALIDAD
GALAPAGOS 1974 - 1978

AÑO 1974			AÑO 1975			AÑO 1976			AÑO 1977			AÑO 1978		
ENFERMEDADES	N.°	TASA	ENFERMEDADES	N.°	TASA	ENFERMEDADES	N.°	TASA	ENFERMEDADES	N.°	TASA	ENFERMEDADES	N.°	TASA
Enteritis y otras Enfermedades Diarréicas	4	93.5	Fiebre Tifoidea	2	44.9	Enteritis y otras Enfermedades Diarréicas	5	107.3	Enteritis y otras Enfermedades Diarréicas	3	61.5	Accidentes de vehículos de motor	2	39.2
Avitaminosis y otras defic. nutricionales	3	70.1	Tuberculosis del Aparato Respiratorio	2	44.9	Leucemia	2	42.9	Ahogamientos y sumersión accidentales	3	61.5	Otras Enfermedades bacterianas	1	19.6
Otras formas de Enfermedad del corazón	2	46.7	Avitaminosis y otras defic. nutricionales	2	44.9	Afec. anóxicas e hipóxicas no clasf. en otra parte	2	42.9	Enfermedades nerebro-vasculares	2	41.0	Otras Otras helmintiasis	1	19.6
Otras Enfermedades de la sangre y de los órganos hematopéicos	1	23.4	Enteritis y otras Enfermedades Diarréicas	1	22.4	Tuberculosis incluyendo efectos tardíos	1	21.5	Tuberculosis del Aparato Respiratorio	1	20.5	Tumor maligno de la mama	1	19.6
Enfermedades isquémicas del corazón	1	23.4	Enteritis y otras Enfermedades Diarréicas	1	22.4	Otras Enfermedades bacterianas	1	21.5	Otras formas de Enfermedad del corazón	1	20.5	Diabetes Mellitus	1	19.6
Otras Neumonías	1	23.4	Tumor maligno de la cavidad bucal y la faringe	1	22.4	Otros tumores malignos del útero	1	21.5	Bronquitis, Enfisema y Asma	1	20.5	Anemias	1	19.6
Obstrucción Intestinal y hernia	1	23.4	Otras formas de Enferdad del corazón	1	22.4	Diabetes Mellitus	1	21.5	Afecciones Anóxicas e hipóxicas no clasf. en otra parte			Otras formas de Enfermedad del corazón	1	19.6
Tumor maligno del estómago	1	23.4	Infecciones Respiratorias Agudas	1	22.4	Epilepsia	1	21.5				Bronquitis, Enfisema y Asma	1	19.6
Accidentes causados por el fuego	1	23.4	Otras Neumonías	1	22.4	Toxemias del Embarazo y el Puerperio	1	21.5						
						Otras causas de Mortalidad Perinatales								
						Síntomas y Estados Morbosos mal definidos	2	42.9				Síntomas y Estados Morbosos mal definidos		
Resto	0	0.0	Resto	3	67.3	Resto	0	0.0	Resto	0	0.0	Resto	—	—
T O T A L	15	350.7	T O T A L	15	336.7	T O T A L	18	386.1	T O T A L	12	246.0	T O T A L	9	176.4

Planta de agua potable de Occidente, en la isla Santa Cruz.

PRINCIPALES CAUSAS DE MORBILIDAD SEGUN EGRESOS HOSPITALARIOS 1974-1978

AÑO 1974			AÑO 1975			AÑO 1976			AÑO 1977			AÑO 1978		
ENFERMEDADES	N.°	TASA	ENFERMEDADES	N.°	TASA	ENFERMEDADES	N.°	TASA	ENFERMEDADES	N.°	TASA	ENFERMEDADES	N.°	TASA
Enteritis y otras enfermedades diarréicas	58	1356.1	Bronquitis, enfisema y asma	66	1481.5	Enteritis y otras enfermedades diarréicas	68	1458.6	Enteritis y otras enfermedades diarréicas	93	1905.9	Enteritis y otras enfermedades diarréicas	45	882.2
Bronquitis, enfisema y asma	18	420.9	Enteritis y otras enfermedades diarréicas	36	808.1	Bronquitis, enfisema y asma	46	986.7	Otras enfermedades del Aparato Genito-urinario.	48	984.2	Bronquitis, enfisema y asma	31	607.7
Los demás efectos de causas externas y los no especificados	17	397.5	Laceraciones y Heridas	27	606.1	Sarampión	39	836.5	Apendicitis	27	553.6	Los demás efectos de causas externas y los no especificados	25	490.1
Otras enfermedades aparato digestivo	16	374.1	Otras enfermedades del aparato genito-urinario	26	583.6	Infecciones de la piel y del tejido celular sub-subcutáneo	38	815.1	Laceraciones y heridas	26	533.1	Colelitiasis y colecistitis	18	352.9
Laceraciones y heridas	15	350.7	Otras enfermedades del aparato digestivo	25	561.2	Todas las demás enfer-clasificadas como infecciosas y parasitar.	37	793.6	Otras enfermedades del sistema nervioso y los órganos de los sen.	24	492.1	Otras enfermedades del aparato genito-urinario	17	33.3
Otras enfermedades del sistema nervioso y los órganos de los sen.	14	327.3	Todas las demás enfermedades clasifc. como infecciosas y parasit.	21	471.4	Infecciones respirator. agudas	33	707.8	Los demás efectos de causas externas y los no especificados	24	492.1	Otras enfermedades del aparato digestivo	12	235.2
Todas las demás enfermedades clasifc. como infecciosas y parasit.	12	280.6	Fiebre paratifoidea y otras salmonelosis	19	426.5	Laceraciones y heridas	31	665.0	Obstrucción intestinal y hernia	23	471.6	Laceraciones y heridas	12	235.2
Otras enfermedades del aparato genito-urinario	11	257.2	Otras neumonías	19	426.5	Otras enfermedades del sistema nervioso y los órganos de los sen.	13	278.9	Bronquitis, enfisema y asma	22	451.1	Otras enfermedades del sistema nervioso y los órganos de los sen.	11	215.6
Infecciones respiratorias agudas	10	233.8	Los demás efectos de causas externas y los no especificados.	18	404.0	Enfermedades hipertensivas	13	278.9	Fracturas de los miembros	21	430.6	Obstrucc. intestinal y hernia	11	215.6
Bronquitis, enfisema y asma	10	233.8	Infecciones respiratorias agudas	17	381.6	Otras enfermedades del aparato genitourin.	13	278.9	Colelitiasis y colecistitis	18	359.1	Todas las demás enferm. clasif. infec. y parasit.	10	196.0
Síntomas y estados morbosos mal definidos	14	327.3	Síntomas y estados morbosos mal definidos	14	314.2	Síntomas y estados morbosos mal definidos	12	257.4	Síntomas y estados morbosos mal definidos	22	451.1	Síntomas y estados morbosos mal definidos	16	313.7
RESTO	288	6733.7	RESTO	361	8103.2	RESTO	366	7850.7	RESTO	557	1421.0	RESTO	314	6155.7
TOTAL	483	11293.0	TOTAL	649	14267.5	TOTAL	709	15208.1	TOTAL	905	18556.5	TOTAL	522	10233.2

BIBLIOGRAFIA

BLACK, JUAN.: "Galápagos, Archipiélago del Ecuador". Quito, 1973.

BAUR, JORGE.: "New Observations on the origin of the Galápagos Islands, with remarks on the Geological Age of the Pacific Ocean". The America Naturalist, N 368, agosto, 1979.

DOWMAN, ROBERT: "The Galapagos: Proceeding of the Symposia of the Galapagos International Scientific Project". Berkeley, California. University of California Press, 1966.

BROWER, KENNETH: "Galapagos The Flow of Wildness". San Francisco: Sierra Club, 1969.

BEEBE, WILLIAM: "Galápagos, el fin del mundo".

EIBL-EIBESFELDT: "Las Islas Galápagos, un arca de Noé en el Pacífico". New York, Doubleday, 1961.

MANUAL DE INFORMACION DEL ECUADOR: "Galápagos", Científica Latina Editores, 1980.

COLECCION DE LA NATURALEZA: "El Mar", 1961. Páginas 78-79.

JIMENEZ DE LA ESPADA, MARCOS: "Las Islas Galápagos y otras más a Poniente". Madrid, Imprenta Fortanet, 1892.

LARREA, CARLOS MANUEL: "El archipiélago de Colón". Segunda Edición. Casa de la Cultura Ecuatoriana, 1962.

MELVILLE, HERMAN: "The Piazza Tales. The Encantadas or Enchanted Isles". The Short Novels of Herman Melville. New York, Fawcett Publications, 1967.

NUÑEZ, JORGE: "Ecuador en la Mira". Revista Nueva. Nros. 76 y 77. Quito, 1980.

NAVEDA, BOLIVAR: "Galápagos a la Vista". Casa de la Cultura Ecuatoriana, 1952.

ORTIZ CRESPO, GONZALO: "El Imperialismo y las Islas Galápagos", Ponencia III.

RENDON de PAULETRE: "Las últimas islas encantadas". Quito, Casa de la Cultura Ecuatoriana.

BANCO CENTRAL DEL ECUADOR: "Encuentro de Historia y Realidad Social del Ecuador". 1979.

"La Incorporación del Ecuador al Mercado Mundial: la coyuntura socio-económica", 1875-1895. Quito, 1981.

TOWNSED, CHARLES HASKINS: "The Galapagos Tortoises in their Relation to the Waling Industry", New York Zoologica. Volumen IV N3, 1925.

WOLF, TEODORO: "Geografía y Geología del Ecuador", Leipzing, Tipografía de F/A/ Brokhans, 1892.

Indice